RENEWALS 458-4574
DATE DUE

»Ein als Hauptmann verkleideter Mensch führte gestern eine von Tegel kommende Abteilung Soldaten nach dem Köpenicker Rathaus, ließ den Bürgermeister verhaften, beraubte die Gemeindekasse und fuhr in einer Droschke davon.« So zu lesen am 17. Oktober 1906 in den Berliner Zeitungen. Dieser Mensch hieß Wilhelm Voigt. In jungen Jahren war der Schustergeselle aus Not mit dem Gesetz in Konflikt geraten. 15 Jahre Zuchthaus waren die Strafe dafür, daß er die Reichspost um 300 Mark geschädigt hatte: Er geriet in den Teufelskreis der Bürokratie. Ohne ordentliche Abmeldung fand er nirgends Arbeit, ohne Arbeitsnachweis erhielt er keine Anmeldung. Voigt wird wieder straffällig; mit 56 Jahren hat er mehr als 30 Jahre seines Lebens im Zuchthaus verbracht. In diesem Augenblick seines Lebens stößt er auf jene Uniform im Trödlerladen in der Berliner Grenadierstraße, die von nun an sein weiteres Schicksal bestimmen wird.

Dieses ›Deutsche Märchen‹ erschien zum erstenmal 1931; es ist heute eines der bekanntesten Stücke Zuckmayers. Die Verfilmung, mit Heinz Rühmann in der Hauptrolle, ist vielen Zuschauern unvergeßlich. Seit Januar 1996 läuft ›Der Hauptmann von Köpenick‹ sehr erfolgreich in der Regie von Katharina Thalbach mit Harald Juhnke als Wilhelm Voigt am Maxim Gorki Theater in Berlin.

Carl Zuckmayer, 1896 in Nackenheim am Rhein geboren, wuchs in Mainz auf. Nach einem naturwissenschaftlichen Studium in Frankfurt und Heidelberg arbeitete er zunächst als Dramaturg in Kiel, München und Berlin. Seit dem ›Fröhlichen Weinberg‹, für den er den Kleist-Preis erhielt, wurde er zu einem der meistgespielten Dramatiker Deutschlands. Im Filmbereich wurde er als Drehbuchautor erfolgreich, u. a. schrieb er das Buch zu ›Der blaue Engel‹ für Josef von Sternheim. 1933 erhielt Zuckmayer Aufführungsverbot in Deutschland. Er übersiedelte 1938 in die Schweiz und emigrierte ein Jahr später über Kuba in die USA. Seit 1958 lebte er in Saas-Fee in der Schweiz, wo er am 18. 1. 1977 starb. Carl Zuckmayer wurde der Ehrendoktor der Universität Bonn verliehen, er erhielt den Büchner-Preis (1929), den Goethe-Preis der Stadt Frankfurt (1952) und den Heinrich-Heine-Preis (1972).

Im Fischer Taschenbuch Verlag erschienen: ›Als wär's ein Stück von mir‹ (Bd. 1049), ›Der fröhliche Weinberg/Schinderhannes‹ (Bd. 7007), ›Des Teufels General‹ (Bd. 7019), ›Der Rattenfänger‹ (Bd. 7114), ›Der fröhliche Weinberg‹. Theaterstücke 1917–1925 (Bd. 12703), ›Der Hauptmann von Köpenick‹. Theaterstücke 1931–1938 (Bd. 12704), ›Katharina Knie‹. Theaterstücke 1927–1930, (Bd. 12705), ›Das kalte Licht‹. Theaterstücke 1955–1961 (Bd. 12711), ›Der Gesang im Feuerofen‹. Theaterstücke 1950–1953 (Bd. 12710), ›Der Rattenfänger‹. Theaterstücke 1961–1975 (Bd. 12716), ›Des Teufels General‹. Theaterstücke 1947–1949 (Bd. 12707).

Carl Zuckmayer
Der Hauptmann von Köpenick

*Ein deutsches Märchen
in drei Akten*

Fischer
Taschenbuch
Verlag

67. Auflage: August 2000

Veröffentlicht im Fischer Taschenbuch Verlag GmbH,
Frankfurt am Main, Dezember 1961

Lizenzausgabe mit Genehmigung des
S. Fischer Verlags GmbH, Frankfurt am Main
Copyright by Bermann-Fischer Verlag A. B. Stockholm 1939
Für diese Ausgabe:
© S. Fischer Verlag GmbH, Frankfurt am Main 1995
Gesamtherstellung: Clausen & Bosse, Leck
Printed in Germany
ISBN 3-596-27002-2

Unsere Adresse im Internet: www.fischer-tb.de

»Nein«, sagte der Zwerg, »laßt uns vom
Menschen reden! Etwas Lebendiges ist mir
lieber als alle Schätze der Welt!«

Hauptgestalten

WILHELM VOIGT
FRIEDRICH HOPRECHT
FRAU MARIE HOPRECHT
BÜRGERMEISTER OBERMÜLLER
FRAU MATHILDE OBERMÜLLER
ADOLF WORMSER, Uniformschneider
ZUSCHNEIDER WABSCHKE
HAUPTMANN VON SCHLETTOW
Zeitgenossen aller Art

Ort: Berlin und Umgebung
Zeit: Vor dem [Ersten] Weltkrieg
Der erste Akt spielt etwa um die Jahrhundertwende,
der zweite und dritte zehn Jahre später.
Die tatsächlichen Begebenheiten bilden nur den
Anlaß zu diesem Stück. Stoff und Gestalten sind
völlig frei behandelt.

Szenenfolge

Erster Akt

Zweiter Akt

Dritter Akt

Erster Akt

Erste Szene

Personen: Adolf Wormser, sein Sohn Willy, Zuschneider Wabschke, Hauptmann von Schlettow, Wilhelm Voigt

Bei geschlossenem Vorhang erschallt, von einer marschierenden Militärkapelle gespielt, der Armeemarsch Nr. 9 – mächtig anschwellend, dann allmählich mit dem Taktschritt der abziehenden Truppe verklingend. Ferne Militärmusik begleitet die ganze Szene. Inzwischen hat sich der Vorhang gehoben: die Bühne zeigt das Innere von A. Wormsers Uniformladen in Potsdam. Im Vordergrund der Ladentisch und der Raum für die Bedienung der Kunden. Im Hintergrund die großen gläsernen Schaufenster, durch die man die Straße und gerade noch die Queue der unter Musik vorbeiziehenden Gardekompanie erblickt. Die Schaufenster sind mit einzelnen Uniformstücken, auch Helmen, Mützen, Säbeln, Lackreitstiefeln dekoriert. Komplette Offiziersuniformen stehen auf Holzpuppen ohne Kopf. In der Mitte hinten eine Doppelglastür mit Klingel. Die Glasscheiben tragen in verkehrt zu sehenden Goldbuchstaben die Aufschrift der Firma: »A. Wormser, Kgl. Preuss. Hoflieferant«. Auf dem Ladentisch Stoffballen, Uniformknöpfe, Epauletten, Handschuhe, Feldbinden und dergleichen. An der Wand ein Bildnis der kaiserlichen Familie und die Photos höherer Offiziere mit Unterschrift. Auch ein gerahmtes Ehrendiplom und eine Aufnahme des Herrn Wormser in studentischer Couleur. Eine Seitentür führt zu Wormsers Privatkontor.

Zuschneider Wabschke – klein, bucklig – steht auf einem Schemel und hilft dem Hauptmann von Schlettow in seinen neuen Uniformrock.

v. SCHLETTOW Nee, nee, Wabschke, mit der Uniform da stimmt was nicht. Da is was nich in Ordnung. Das hab ich im Gefühl.

WABSCHKE Herr Hauptmann – mit det Jefühl, det is so ne Sache. Wenn ick mal in en Paar neie Buxen steige – selbst zujeschnitten, akkurat jenau uff jeden Hosenknopp – da hab ick ooch immer son komisches Jefiehl. Un denn komm ick hinter: det is gar keen Jefühl – det is nur de Neuheit.

v. SCHLETTOW Nee, nee, Wabschke, machense mir nichts vor. Sehnsemal, ich kann mir als Hauptmann nich jeden Tach ne neue Uniform leisten. Gardeleben kost ja sowieso 'n tollen Stiefel. Aber – wenn ich mir eine leiste, denn muß nu alles tadellos in Ordnung sein, darin bin ich komisch, was? *Er lacht.*

WABSCHKE *zieht ihm die Rockschöße herunter* Det sitzt nu alles wie de eigne Haut.

v. SCHLETTOW Sagen Sie! – *Besieht sich von allen Seiten im Spiegel* – Na ja, von vorne is ja nischt zu wollen. Aber hinten! Hinten! Sehnse sich mal die Gesäßknöppe an! Die sitzen bestimmt nich vorschriftsmäßig!

WABSCHKE Aber, Herr Hauptmann: ick sage Ihnen, wie anjewachsen! Man kennte meinen, Sie wären mit Jesäßkneppen uff de Welt jekommen!

v. SCHLETTOW Sechsenhalb Zentimeter Abstand! Sechsenhalb Zentimeter is Vorschrift! Das da sin mindestens achte, widersprechense nicht, das hab ich im Gefühl!

WABSCHKE Na, Herr Hauptmann, so jenau wird's Ihnen keener nachmessen.

v. SCHLETTOW Das hab ich im Gefühl, da is nischt dran zu klimpern. Die Gesäßknöppe werden geändert, Wabschke.

WABSCHKE Da mißten wa nu de janze Schoßfalte ufftrennen, un denn stimmt det wieder in de Tallje nich.

v. SCHLETTOW Sehnse, Wabschke, bei Ihnen merkt man auf Schritt und Tritt, daß Se nich gedient haben. Wennse beim Kommiß so viel widersprechen, denn kommense ausm Kasten gar nich raus.

WABSCHKE Deshalb hab ick mir ooch lieber 'n Puckel jezüchtet. Finger lang und Luftklappe jeschlossen – det wär keen Sport vor meines Vaters Kleensten.

v. SCHLETTOW Das fehlt Ihnen, Wabschke, das fehlt Ihnen! Als

Schneider sinse vielleicht tipptopp, aber als Mensch, da fehlt Ihnen der Schliff, der Schnick, der Benimm, die ganze bessere Haltung!

WABSCHKE Na, Herr Hauptmann, ick kann ja ooch de Knochen zusammenreißen un det Kinn uff de Krawatte dricken! *Er markiert stramme Haltung.*

v. SCHLETTOW *halb lachend, halb empört* Hörnse auf, Wabschke, hörnse auf, das kann ich gar nich sehn!!

WORMSER *kommt rasch herein. – Er ist rundlich, rosig, graublond, mit nur geringen jüdischen Rassemerkmalen* Was is denn nu wieder los. – Wabschke, lassense die Possen! Guten Tach, Herr von Schlettow, ärgernse sich nicht über den Pojazz, er is nich normal, aber 'n besseren Zuschneider findense in ganz Deutschland nich. Wabschke, haltense 'n Rand, ich sage Ihnen immer wieder, bei der nächsten Schnoddrigkeit fliegense raus. Famos sehnse aus, Herr Hauptmann! *Schüttelt ihm die Hände* Das macht der Dienst, das macht die frische Luft, das macht des Kaisers Garde, was? Na, nu zeigense mal her, lassense sich mal bewundern, wo sitzt der Schaden, wo liegt der Hund begraben, das wolln wa gleich haben – was?

v. SCHLETTOW Ich weiß nich, Herr Wormser, mit der Uniform is was nich richtig. Ich hab son komisches Gefühl im Genick, un die Gesäßknöppe sitzen auch nich vorschriftsmäßig.

WORMSER *ruft* Willy, brings Maßbuch. Ich werde die Sache untersuchen, Herr Hauptmann, Sie sollen sich persönlich überzeugen. Glänzend steht Ihnen der Rock! Willy, mach rasch! 'n wunderschöner Stoff, was? 'n Stöffchen!! Also das Stöffchen, das kriegen von mir nur die Herren von der Garde un die kaiserlichen Prinzen. Sehnsemal – *Er fährt mit den Fingerknöcheln übers Tuch* – 'n Glanz wie son frisch gewichster Pferdepopo – was?

v. SCHLETTOW *lachend* Gottvoll, Wormser! Is ja enorm! Pferdepopo –! Einfälle haben Sie!

WILLY *erscheint mit dem Maßbuch. Er ist sechzehn Jahre alt, schmal, blaß, verpickelt und ungelenk. Die jüdischen Rassemerkmale sind bei ihm stärker ausgeprägt als beim Vater.*

WORMSER Zeig her, Willy, leg's hin, schlag's auf, träum nicht, mach e bißje. Sehnse hier, Herr von Schlettow – sehnse selbst: wie steht's da schwarz auf weiß? Schoßknöpfe Abstand sechseinhalb Zentimeter. Stimmt's oder hab ich recht? Was wollense mehr.

V. SCHLETTOW Steht schon da – sitzt aber nich. Messense nur mal nach!

Während der letzten Sätze, etwa gleichzeitig mit dem Auftreten Willys, ist im Hintergrund auf der Straße ein Mann erschienen – kurz stehengeblieben, weitergegangen. Nun kommt er langsam zurück, geht bis zur Ladentür, starrt in die Scheiben.

WORMSER Wabschke, gebense 's Zentimetermaß. Willy, halt dich grad! Ich kann nicht sehen, wie de rumstehst. Wenn du so weitermachst, kommste nie zum Militär. Was will denn der Mann an der Glastür? Willy, schau mal nach. Na, nu läuft er wieder wech. *Er mißt nach* Sehnse, Herr Hauptmann, wenn man's genau nimmt, habense recht. Also von Ihnen möcht ich erschossen werden, Sie treffen 'n Flohstich mittenmang in de Mitte. Die Knöppe sitzen um 'n halben Zentimeter zu weit.

V. SCHLETTOW Das hab ich im Gefühl. Das hab ich ja gleich gesagt. Lachense nich, Wabschke, Sie denken, das is ne Kleinigkeit. Is auch ne Kleinigkeit. Aber an den Kleinigkeiten, daran erkennt man den Soldaten. Darauf is alles aufgebaut, da steckt 'n tieferer Sinn drin, verstehnse? Genau dieselbe Sache wie mit 'n Stechschritt. Leute glauben immer, is Schikane. Is keene Schikane, steckt auch tieferer Sinn drin, das muß man nur kapieren, verstehnse?

WORMSER Meine Rede, Herr Hauptmann, meine Rede! Was sag ich immer? Der alte Fritz, der kategorische Imperativ und unser Exerzierreglement, das macht uns keiner nach! Das und die Klassiker, damit hammer's geschafft in der Welt! Willy, nemm die Händ aus der Tasch un halt dich grad. Schau dir 'n Herrn Hauptmann an, das is e Figur. Woher hat er die Figur? Er hat sich gradgehalten. *Die Ladenglocke ertönt* Na, das is er ja wieder!

WILHELM VOIGT *schmächtige Gestalt, mager und etwas gebückt, leicht angedeutete O-Beine, hohles Gesicht mit starken Backenknochen, grauer Schnurrbart, fahle Hautfarbe. Er trägt einen alten, aber nicht zerlumpten dunklen Anzug, Hemd ohne Kragen, steifen Hut, grobe Stiefel, in der Hand ein verschnürtes Paket. Er hält den Türgriff fest und schaut wie erstaunt in den Laden.*

WORMSER Was wollense denn? Habense was abzugeben?

VOIGT – Nee. *Er schließt die Tür, geht weiter.*

V. SCHLETTOW Was will denn der, sieht ja aus wie ne Leiche auf Urlaub.

WORMSER Ich weiß nich – vielleicht will er sich ne Gardeuniform bestellen!

V. SCHLETTOW Tadellos, Wormser! Einfach zum Piepen!

WABSCHKE *zu Wormser* Det is neemlich so, det wa mißten de janze Schoßfalte ufftrennen, an der de Gesäßkneppe anjesetzt sind, und denn stimmt det wieder in de Tallje nich.

WORMSER Also, Herr Hauptmann, wegen der paar Millimeter werdense sich den schönen Stoff nich verschnipseln lassen. Vorschrift is Vorschrift – aber damit kann Ihnen ja nu wirklich nichts passieren.

V. SCHLETTOW So, kann mir nischt? *Jovial* Na, und wenn ich nu Untern Linden Majestät begegne, und Majestät zieht Zollstöckchen aus der Tasche und mißt mir Gesäßknöppe nach – na und was dann? *Lacht.*

WORMSER Was dann? Ich wer Ihnen mal was sagen: dann fragt er natürlich, von wem hamse den Rock, sagen sie: von Adolf Wormser aus Potsdam. Was, wird er rufen, von meinem lieben Wormser!! Bei dem laß ich ja selbst arbeiten! Also dann sind de Knöppe richtig, und mein Zollstock is falsch!! Hier habense 'n Orden, da die geflochtenen Achselstücke, machense so weiter, Herr Major – *Sprudelnd* – Sehnse, wennse beim Wormser arbeiten lassen, da sinse schon befördert!!

V. SCHLETTOW *wiehernd* Tadellos, Wormser! Is ja enorm! Also einfach gottvoll! Von meinem lieben Wormser! Gottvoll!! *Gelächter. Die Ladenklingel ertönt.*

WORMSER Da is ja der Mensch schon wieder –

11

VOIGT *steht in der Ladentür, betrachtet interessiert die im Schaufenster ausgestellten Lackstiefel.*

WORMSER *geht auf ihn zu* Was wollense denn?!

VOIGT *sieht ihn an.*

WORMSER Wollense was? Was habense denn hier zu suchen?!

VOIGT Ick wollte mir nur mal erkundigen –

WORMSER Raus!! Hier wird nich gebettelt!!

VOIGT *schließt rasch die Tür, trollt sich.*

WORMSER Das wäre gelacht. Am hellen Tag in mein Geschäft! Die Kerle sin heutzutage so frech, so frech wie die Schmeißfliegen.

V. SCHLETTOW Regense sich nich auf, Wormser, lassense lieber die Gesäßknöppe versetzen.

WORMSER Erledigt, Herr von Schlettow. Erledigt. Wenn Sie wünschen – wird gemacht. Willy, helf 'n Herrn Hauptmann in sein Rock. Am Montag habense die neue Uniform – mit vorschriftsmäßigen Gesäßknöppen. Sinse nu zufrieden?

V. SCHLETTOW Danke, Herr Wormser, vielen Dank, Herr Wormser! Wenn ich mir ne neue Montur bauen lasse, denn muß nu alles tadellos in Form sein, da hab ich meine Freude dran, verstehense?

Dunkel.

Zweite Szene

Personen: Oberwachtmeister, Wachtmeister, Wilhelm Voigt

Polizeibüro in Potsdam. Geschlossene Fenster, muffige Luft, viel Papier, Akten- und Kassenschrank. An der Wand Kaiserbild, Verordnungstafeln, Gendarmeriesäbel und Pickelhauben an Kleiderhaken.

Oberwachtmeister und Wachtmeister sitzen einander gegenüber an Schreibtischen. Wilhelm Voigt, Hut und Paket in der Hand, steht dicht beim Oberwachtmeister hinter einer niedrigen hölzernen Schranke. Der Oberwachtmeister schreibt mit kratzender Feder, der Wachtmeister klebt Marken auf Stempelpapier.

Aus der Ferne erklingt das Potsdamer Glockenspiel.

OBERWACHTMEISTER *zieht seine Taschenuhr, kontrolliert* Zwölfe.
Er löscht ab, klappt Aktendeckel zusammen.

VOIGT Pardong, Herr Wachtmeester, ick wollte mir nur mal erkundigen –

OBERWACHTMEISTER Erstens ist von zwölf bis zwei geschlossen, das könnense draußen an der Türe lesen. Zweitens bin ich kein »Wachmeester«, sondern Oberwachtmeister und Reviervorsteher, das erkennt man an den Knöpfen und am Portepee.

VOIGT Na, denn vazeihnse mal, Herr Kommissär, ick warte nu schon seit halber zwelfe –

OBERWACHTMEISTER Drittens tretense mal 'n halben Schritt zurück. In einem Amtsraum hat ein Unbefugter so viel Abstand zur diensttuenden Behörde zu wahren, daß er die Aufschrift auf den Aktendeckeln mit bloßem Auge nicht erkennen kann. Da kann ja jeder kommen und uns einfach über die Schulter kucken. Habense noch nie was vom Amtsgeheimnis gehört?

VOIGT Pardong, Herr Oberwachtmeister, ick hab ja 'n kurzes Ooge, zum Lesen da brauch ick ne Brille. Und mitn Amtsjeheimniss, da mecht ick mir jahnich inkrimmenieren, bei sowat seh'ck ieberhaupt lieber wech. Ick wollte mir nur mal heflichst erkundigt haben, wie det mit meine nachjesuchte Aufenthaltserlaubnis bestellt is, ick warte ja nu schon –

OBERWACHTMEISTER Sie heißen?

VOIGT Voigt, Wilhelm.

OBERWACHTMEISTER Schlickmann, mal rasch die Personalakten U–Z. Alter?

VOIGT Sechsundvierzig Jahre.

OBERWACHTMEISTER Beruf?

VOIGT Schuster.

OBERWACHTMEISTER Geboren in?

VOIGT Klein-Pinchow.

OBERWACHTMEISTER Wo is denn das?

VOIGT Da hintenrum, bei de Wuhlheide.

OBERWACHTMEISTER Wo wohnen Sie jetzt?

VOIGT Jarnirgends.

OBERWACHTMEISTER Wieso? Sie müssen doch einen Wohnort angeben können.

VOIGT Nee, kann ick nich.

OBERWACHTMEISTER Na, wo sindse denn gemeldet?

VOIGT Ooch jarnirgends. Ick stehe nämlich unter Polizeiaufsicht. Deshalb bin ick ja hier, weil ick mir hier anmelden mechte, und dafor brauch ick zunechst mal de Aufenthaltserlaubnis.

OBERWACHTMEISTER Wo warense denn zuletzt gemeldet?

VOIGT Wieder jarnirgends. Ick komme gradewegs aus de Strafanstalt Plötzensee.

OBERWACHTMEISTER *hat sich in den Akten zurechtgefunden* Aha! Vorbestraft. Sogar im Wiederholungsfall. Sie sind ja 'n ganz schwerer Junge.

VOIGT Ick weeß nich, Herr Kommissär, ick werde in letzter Zeit immer leichter. Besonders seit ick aus de Plötze raus bin, da ha'ck fast nur noch Luft in de Knochen.

OBERWACHTMEISTER Quasselnse nich. Sie haben wohl auch Luft im Kopp, was? Was wollense denn hier in Potsdam?

VOIGT Arbeeten will ick.

OBERWACHTMEISTER Das kann jeder sagen. Warum habense denn früher nicht gearbeitet? Fuffzehn Jahre Zuchthaus, wegen Posturkundenfälschung!

VOIGT Det is lange her, Herr Kommissär.

OBERWACHTMEISTER Desto schlimmer, desto schlimmer! Mit achtzehn Jahren!! Wie habense das denn angestellt?

VOIGT Na da war'ck n junger Dachs, Herr Kommissär. Und es hat sich ja alles in allem nur um dreihundert Märker jehandelt.

OBERWACHTMEISTER Das ist gar keine Entschuldigung.

VOIGT Ick will mir auch garnich entschuldigen, Herr Kommissär, det war nu mal so. Ick bin da mit'n jungen Meedchen gegangen, aus de Hotelkichenbrangsche. Da war'ck janz wech von. Ick konnte ihr nie wat spendieren, vastehnse, un de Spendierer, die hamse mir einfach abjespannt.

OBERWACHTMEISTER Und da sind Sie einfach hingegangen und haben einfach die Reichspost betrügerisch ausgeplündert.

VOIGT Ick dachte, det spürense da jarnich, bei son großen Betrieb. Aber denn habense mir jeschnappt und haben mir gleich fuffzehn Jahre injespunnen. Det is doch'n bisken ville forn junges Blut.

OBERWACHTMEISTER Darüber steht Ihnen kein Urteil zu. Das Strafmaß entspricht immer ganz genau der Schwere des Delikts.

VOIGT Meintswegen. Et is ja nu lange vorbei.

OBERWACHTMEISTER So was ist nie vorbei, merkense sich das. Was in Ihren Personalakten steht, das ist Ihnen so festgewachsen wie die Nase im Gesicht. Wer einmal auf die schiefe Bahn gerät –

VOIGT Stimmt.

OBERWACHTMEISTER Wieso »stimmt«. Was stimmt?

VOIGT Das mit de schiefe Bahn. Da hamse janz recht. Det is, wie wennse ne Laus uff ne Glasscheibe setzen. Da kannse nu krabbeln und krabbeln un rutscht ejal immer wieder runter.

OBERWACHTMEISTER Das sind so Redensarten, die kennt man. *Liest in den Akten* Nach Verbüßung Ihrer Strafe sind Sie ins Ausland gegangen.

VOIGT Jawoll, nach Böhmen und denn nach Bukarest.

OBERWACHTMEISTER Was habense denn dort getrieben?

VOIGT Da ha'ck jearbeetet.

OBERWACHTMEISTER So. Bei wem denn?

VOIGT Bein Schuhfabrikanten namens Wonkrowitz. Det war 'n Jude.

OBERWACHTMEISTER Aha! *Macht sich eine Notiz* Und warum sindse dann zurückgekommen?

VOIGT Det kann man schwer sagen, Herr Kommissär. Ick hatte mir da neemlich recht scheen rinjesetzt.

OBERWACHTMEISTER Warum sindse dann nicht bei Ihrem Juden geblieben?

VOIGT Weil ick – ick habe mir eben so sehr zu Hause jesehnt. Det war dumm von mir. Bei dem Juden, da war'ck neemlich jut unter.

OBERWACHTMEISTER Habense denn in Deutschland noch Familie?

VOIGT Nee, det heißt, haben tu'ck schon noch, ne Schwester zum Beispiel, die is verheiratet. Da trau ick mir aber mit all meine Vorstrafen aufn Puckel jarnich rauf.

OBERWACHTMEISTER Dann möcht ich nun wirklich wissen, warum Sie wieder nach Deutschland zurückgekommen sind.

VOIGT Ick sage ja, det war dumm von mir. Aber ick habe mir heimjesehnt. Da unten, da sinse alle janz anders, und da redense ooch janz anders. Und da hat nu schließlich der Mensch seine Muttersprache, und wenn er nischt hat, denn hat er die immer noch. Det glaubense jarnich, wie scheen Deutschland is, wenn man weit wech is und immer nur dran denkt. Aber ick sage ja, det war dumm von mir.

OBERWACHTMEISTER *liest in den Akten, ohne zuzuhören* Zuletzt hattense nun wieder eine Freiheitsstrafe zu verbüßen – fünfzehn Monate Gefängnis, wegen Melde- und Paßvergehen, Irreführung der Behörden und versuchter Urkundenfälschung.

VOIGT Da wollt ick mir nu de Neese aus det Jesichte reißen. Aber det hat nich jegangen.

OBERWACHTMEISTER Was redense da?

VOIGT Ick meine, wat Sie vorhin jemeint haben, sone Vorstrafe, die schleppt eener mit rum wie de Neese ins Jesicht. Als Willem Voigt, da hab ick nischt zu jewinnen in de Lotterie. Nu hab ick mir jesacht: Schluß mitn Willem Voigt, fängste als Friedrich Müller von vorne an. Det war doch jar nich so iebel.

OBERWACHTMEISTER Blödsinn. Sie sehen ja, was dabei rausgekommen ist.

VOIGT Ick hab mir halt nich ausjekannt.

OBERWACHTMEISTER Also hoffentlich kennense sich jetzt aus: was 'n Gesetz is, und was 'n Vergehen is, und was 'n Gefängnis is. Lang genug habense ja studiert.

VOIGT Jawoll, det kann ick wohl flüstern. Aber deshalb brauch ick nu jetzt meine Aufenthaltserlaubnis. Ohne der bin ick ja uffjeschmissen. Ick mechte mir hier in de Schuhfabriken vor Militärstiefel betätigen, det is neemlich meine Spezialität, de

Zuchstiebeln un de langen Schefte, und ins Jefängnis da habense mir ooch in de Maschinenarbeet ausjebildet.

OBERWACHTMEISTER Habense sich denn schon nach Arbeit umgesehen?

VOIGT Det mach ick 'n janzen Tach, seit ick raus bin. Ick hab mir schon 'n Paar Sohlen kaputtjeloofen. Die Jefängnisleitung hat mir ja ne Empfehlung mitjegeben – *Er kramt sie aus der Tasche* – aber ick komme jarnich dazu, det ick se vorzeichen kann. Iberall wollense Meldepapiere sehn, und wenn ick in son besseres Jeschäfte fragen will, da glaubense, ick will betteln, da haunse mir gleich raus.

OBERWACHTMEISTER *hat kaum zugehört, ordnet die Akten ein* Also kommense mal wieder, wennse Arbeit haben. Dann können wir weiter sehn.

VOIGT Ick bekomm ja keene Arbeet ohne de Anmeldung. Ick muß ja nu erst mal de Aufenthaltserlaubnis –

OBERWACHTMEISTER Das schlagense sich mal ausm Kopp. Einem stellungslosen Zuchthäusler können wir hier keine Aufenthaltserlaubnis geben. Nachher denken Sie ja gar nicht mehr dran zu arbeiten und treiben sich hier rum.

VOIGT Ick muß doch arbeeten. Von wat sollt ick denn leben?

OBERWACHTMEISTER Das ist Ihre Sache. Sehnse zu, daß Sie 'n ordentlicher Mensch werden. Wenn einer arbeiten will, denn kriegt er auch Arbeit.

VOIGT *schüttelt den Kopf* Nee, nee, det is nu 'n Karussell, det is nu ne Kaffeemihle. Wenn ick nich jemeldet bin, krieg ick keene Arbeet, und wenn ick keene Arbeet habe, da darf ick mir nich melden. Denn will ick wieder raus. Denn jebense mir 'n Paß mit 'n Grenzvisum, det ick rieber kann.

OBERWACHTMEISTER Dafür sind wir hier nicht zuständig.

VOIGT Se haben doch jetzt mein ganzes Vorleben da in de Hand, un wennse mir hier nich haben wollen, denn jebense doch bein Alex ein, det ick 'n Paß kriege!

OBERWACHTMEISTER Ich sage Ihnen doch, dafür sind wir nicht zuständig. Wenn Sie 'n Paß wollen, müssense sich an Ihre Heimatbehörde wenden.

VOIGT Da war'ck jrade jewesen! Aber da habense mir jar nich anjehört. Du bist bei uns abjehängt, habense jesacht. Hier kenn wa dich nich mehr, seit zwanzich Jahren biste jestrichen. Jeh mal ne Ortschaft weiter, die Heimat schämt sich deiner, habense jesacht. Na ja, sach ick, ick will ja nu hier ooch keen Denkmal jesetzt kriegen, ich will ja nur meine Zuständigkeit. Da habense mir rausjeflammt. Nee, nee, da jeh'ck nich mehr hin.

OBERWACHTMEISTER Na, regense sich mal nicht auf hier.

VOIGT Ick reg mir jarnich uff, ick will nur 'n Papier haben. 'n Papier, det is doch mehr wert als de janze menschliche Konstitution, det brauch ick doch neetijer als det tägliche Brot!

OBERWACHTMEISTER *schnallt um, setzt seinen Helm auf* Jetzt machense mal 'n Punkt.

VOIGT Nee, nee, ick reg mir jarnich uff, aber't muß ja nu 'n Platz geben, wo der Mensch hingehört! Wenn ick keene Meldung kriege und nich hier bleiben darf, denn will'ck wenigstens 'n Paß haben, det ick raus kann! Ick kann ja nu mit de Füße nich in de Luft baumeln, det kann ja nur'n Erhenkter!

OBERWACHTMEISTER Ich werde Ihr Gesuch um Aufenthaltserlaubnis weitergeben.

VOIGT Jebense mir lieber 'n Paß! Ick will ja wieder raus. Ick will ja nu gerne wieder raus, und ick komme ooch so bald nich wieder, da kennse janz ruhig sind, da kennse Jift druff nehmen! Ick weiß ja nu Bescheid, mir hamse jebrannt, det langt forn Rest!

OBERWACHTMEISTER Sie haben immer noch unklare Vorstellungen über die Zuständigkeitsgrenzen. Für ihre Paßangelegenheit kommen wir hier nicht in Frage, merken Sie sich das, is gänzlich ausgeschlossen. Ihr Gesuch um Aufenthaltserlaubnis geb ich weiter, aber befürworten kann ich's nicht, dafür ist Ihr Vorleben zu fragwürdig. Wir haben genug unsichere Elemente in der Stadt. Schluß jetzt.

VOIGT Da mecht ick Ihnen 'n Vorschlag machen – da mecht'ck Ihnen vorschlagen, det se mir gleich expreß wieder in de Plötze zuricktransportieren lassen!

OBERWACHTMEISTER Raus!!! Jetzt wird er auch noch frech! Scherense sich raus!!

VOIGT Na, nu nich. Ick geh ja schon. Jesegnete Mahlzeit. *Ab.*

OBERWACHTMEISTER Dummer Kerl! Stiehlt mir ne Viertelstunde von mein Mittach. Zum Schluß schimpft er noch. Naja. Dem trau ich nicht übern Weg.

WACHTMEISTER Ich auch nicht, Herr Kommissär.

OBERWACHTMEISTER Ich geh jetzt essen. Um halb zwei lös ich Sie ab. Tach, Schlickmann.

Dunkel.

Dritte Szene

Personen: Gäste und Kellner im Café National, darunter Hauptmann v. Schlettow, Dr. Jellinek, ein betrunkener Gardegrenadier, Paul Kallenberg, genannt Kalle, Wilhelm Voigt

Café National in der Friedrichstraße. Sonntag vormittag, wenig Gäste, keine Musik. Im Hintergrund, über einer breiten Portierentür, ein Schild:

ZUM BILLARD-KLUB »BONNE QUEUE«
GESCHLOSSENE VEREINIGUNG

Von dort hört man das klickernde Geräusch der Billardkugeln, dann und wann gedämpfte Rufe der Spieler.
Einige umfängliche Damen sitzen stur und gelangweilt an Marmortischen, der frühen Stunde zum Trotz, wie Soldaten, die auch bei ungünstigster Gefechtslage ihren Posten nicht verlassen.
Die Kellner lackeln müde am Büfett.
Im Vordergrund rechts sitzen Wilhelm Voigt und Paul Kallenberg, genannt Kalle. Kallenberg ist bedeutend jünger als Voigt, mit kleinem, verkniffenem Gesicht, entzündeten Augenlidern, Gefängnisblässe. Er trägt Kragen und grelle Krawatte.

KALLE Wo hastn heite Nacht jepennt?

VOIGT Bein Bahnhof Wannsee, und denn uff ne Bank im Jrienen. Wie's kalt jeworden is, bin ick bis Zoo jefahren und hab mir in Wartesaal jesotzen.

KALLE Ick hab in 'n Bett jelegen. Piekfein.

VOIGT Wieso denn? Wie hastn det jeschafft?

KALLE Ick hab ne Visite jemacht, bein Schmittchen, weeßte, den Anstaltsgeistlichen von Moabit, den mit de Plüschaugen, den wa imma det Riehr-Ei jenannt hahm. Der hat uns ma seine Adresse jejeben, det wa ihm sollten vont neie Leben und von unsre Besserung 'ne Ansichtskarte schreiben. Ick schelle so jejn achte, det Meechen macht mir uff, ick rasch 'n Stiebel in de Türspalte: und rin!! Da sitzense umn Tisch rum und labbern rote Gritze. Nu ha'ck mir an de Wand jelehnt un de Hende vort Jesichte jeschlagen und habe jeweint, det ma de Tränen nur so in de Stoppeln jekullert sind. Det kann ick neemlich jetzt prima mit meine vakiehlten Knalloogen. »Son trauliches Familienleben«, ha'ck jewimmert – »Jottachjott, wer det ooch mal hette!« Da hat er mir jleich ne Suppe jejeben, und denn noch 'n Ende Wurst mit sone mehligen Kartoffeln zu, un in sein Sohn sein Bette hat er mir jelegt, un der mußte auft Kanapee pennen. »Joachim«, hat er zu sein Sohn jesacht – »übe dir mal wieder in de christliche Nächstenliebe.« Son Schmußlappen.

VOIGT Na un denn?

KALLE Heite morjen hat's 'n Kaffe jejeben, der schmeckte bloß nach Zischorje, ne trockne Schrippe bei von letzten Mittwoch, und denn hat er mir mit seine janze Familie in Dom jechickt, weil Sonntach is. Na, ick hab mir jeschämt – Untern Linden mit sone olle Pastorenzippe und an jeder Hand ne Rotzjöhre! An de Passasche ha'ck kurz kehrt jemacht und hab mir seitwärts in die Bische jeschlagen.

VOIGT Du bist ne Nummer, Kalle.

KALLE Jewiß doch, sogar ne hohe Nummer, aber ne janz unjrade! Mensch, det mußte ooch sind heitzutage, sonst verreckste im Stehen und vahungerst vorm Telikadessenjeschäft.

EIN KELLNER *kommt, mustert die beiden mißtrauisch* Wennse hier rumsitzen, missense auch was verzehren.

VOIGT Sie Schlauer. Jrade janz jenau deswejen sitzen wa neemlich hier rum.

KALLE Der meent wol, wir ham uns hier als Preisrichter vor de
Scheenheitskonkurrenz anjebaut! Nee, Scheibe! Von Kunst-
jenuß alleene kann der Mensch nich leben. Zwee Konjack.

VOIGT For mich nich. Ick mecht 'n heißen Kaffe.

KALLE Zwee Konjack. Willem, du bist injeladen. For 'n heißen
Kaffe kannste selbst blechen.

KELLNER *geht.*

VOIGT Haste Kies?

KALLE *holt ein paar kleinere Geldstücke aus der Tasche* Det sin de
letzten Morikaner.

VOIGT Un wennse abjestorben sind?

KALLE Denn kann ick immer noch mein Anzuch verkoofen.
Der is noch janz schnieke.

VOIGT Mensch, mach det nicht! Bleib in Schale, Mensch!! Ick
kann dir sagen, Schale is allens. Wenn de mal so rumloofst als
wie icke – denn is nischt mehr zu wollen.

KALLE Wat denn, du bist ja nu ooch noch 'n janz scheener Jing-
ling.

VOIGT In Potsdam – da ha'ck son Klamottentempel jesehn –
Junge Junge! da kannste des Kaisers Rock forn blauen Lappen
kaufen – mitn janzen Klimbim.

KALLE Wat meenste?

VOIGT Son Uniformjeschäft. Ick bin ma rin und wollte uff Ar-
beet fragen, wejen de hohen Lackstiebeln in der Auslage.
Mensch – da hängt de janze Herrlichkeit uff de Stange, wie de
Häute bein Lohjerber. Siehste – da ha'ck jestaunt.

KALLE Haste denn noch nie 'n Uniformladen jesehn?

VOIGT Nee; det heißt, bei de Pollacken schon – aber hierzeland
is mir det nie uffjefallen. Da ha'ck mir immer jedacht: des
Kaisers Rock, na, den kriste doch von der Kammer, wenn de
Rekrut wirst. Un wat son Offizier is – der kriegt 'n von Kai-
sern selba.

KALLE Ick hab jegloobt, du wärst 'n Berlina.

VOIGT Bin'ck ooch. Heitzetage sin doch de meisten Berlina aus
Posen. Ick bin schon aus de Wuhlheide.

KALLE Aba du kennst dir jar nich aus in Berlin, wat?

VOIGT Wenn ick hier rin war, denn hamse mir immer gleich hopp jenommen. Det is keen Pflaster for mir.

KALLE Heit ahmd – da jehn wa int Café Dalles. Da wern wa schon 'n Boß finden, der kesse Jungens braucht, und wenn's forne Schmiere is.

VOIGT Nee, mach ick nich. Ha'ck jenuch von. Da jehste va-schütt wie'n oller Mülleimer. Ick jeh bei de Industrie.

KALLE Wat willstn da?

VOIGT Arbeeten.

KALLE Brrrrrrr!

VOIGT Da wird klotzig Jeld vadient. – Ick bin doch'n Jelernter.

KALLE Uff dir hamse dort grade jewartet.

VOIGT Wat de selbständlichen Handwerksmeester sind, die nemm unsereens nich an, hamse ooch janz recht. Solang se junge Jeselln kriegn mitn orntlichen Jewerbeschein, wat sollnse da mitn ollen Knastschieber. Aber de Industrie – die braucht Maschinenfutter.

KALLE Da ha'ck jarkeen Vaständnis for. Ick wer 'n Ding drehn – soon Ding – und denn ha'ck forn paar Jähreken ausje-sorcht.

VOIGT Det wird nischt, Kalle. Wennste 'n Ding drehn willst, 'n richtiges großes Ding – davor mußte 'n Kopp haben, den haste nich. Det mußte janz jenau wissen, vastehste? Ick wißte schon – *Verstummt, lächelt.*

KALLE Wat weeßte?

VOIGT *gibt keine Antwort, wiegt lächelnd den Kopf.*

KALLE Du weeßt ja ooch nischt.

KELLNER *kommt, stellt das Tablett mit einer Tasse Kaffee und zwei Kognaks auf den Tisch, geht.*

VOIGT *schüttelt den Kopf* Nee nee – ick probier's nochmal in sone neie Schuhfabrik.

KALLE Na, prost! *Schiebt ihm einen Kognak hin.*

VOIGT *nimmt den Kaffee* Uffn nichternen Magen kann'ck det nich vertragen. Ick bin ieberhaupt keen Alkohol jewöhnt.

KALLE Ick ooch nich, aber ick jewöhn mir dran. *Er schüttet sich*

mit kippender Bewegung einen Kognak hinunter, dann kramt er eine
halbgerauchte Zigarette aus der Tasche, glättet sie und zündet sie an.
VOIGT *schlürft langsam seinen Kaffee.*
BEIDE *schweigen.*

Im Hintergrund, durch die Portiere, die den Eingang zum Billard-
zimmer abschließt, erscheint Hauptmann von Schlettow in Zivil.
Er hält noch das Billardqueue in der Hand und übergibt es dann
einem nacheilenden Pikkolo. Man sieht ihm an, daß er die zivile
Kleidung nicht gewohnt ist. Der Kragen ist zu hoch und scheint ihn
zu drücken. Gleichzeitig mit ihm erscheint Dr. Jellinek, ein junger
Assistenzarzt und Billardspieler.

V. SCHLETTOW Kommense, Jellinek, auf die Partie können wir
uns getrost 'n Schnaps verpassen! 'n Gegner wie Sie findet man
nich alle Tage!

JELLINEK Von Ihnen besiegt zu werden, ist keine Schande. Nee,
lieber Hauptmann, da komm ich nich mit, Donnerwetter-
nochmal!

V. SCHLETTOW *strahlend* Fein, was, die doppelte Karambolage,
und denn der Rückwärtser mitm linken Effet, daß ich den
noch gemacht habe, das hätt ich selbst nich geglaubt.

JELLINEK Das macht Ihnen so leicht keiner nach. Tach, Puppe,
Tach, Olympia. *Er grüßt kopfnickend einige Damen* Da drüben,
Schlettow, da sind wir 'n bißchen unter uns.

V. SCHLETTOW Ich muß was essen. Ich hab schon wieder Hunger. Ich sage Ihnen, ich kann 'n janzen Tach essen.

JELLINEK Freuense sich, Sie sind die Gesundheit selbst! Wenn's
mehr so gäbe, dann könnten wir Ärzte einpacken. Strotzend
wie 'n Baum voll Äppel, leuchtend wie ne Sonnenblume,
knusprig wie ne frischgebackene Semmel! Wenn ich 'n Weib
wäre, von Ihnen möcht ich 'n Kind haben.

V. SCHLETTOW Gottvoll, Doktorchen! Gottvoll sinse! *Sie setzen*
sich links vorne. Ein Kellner ist ihnen gefolgt Was nehm wa denn?

JELLINEK Ich nehm 'n doppelten Allasch.

V. SCHLETTOW Mir gebense 'n Kognak mit Soda und zwei Eier
im Glas!

KELLNER *geht.*

v. SCHLETTOW *ruft ihm nach* Und 'n paar Salzstangen mit Butter und ne kleene Platte Schinken!

KELLNER *über die Schulter* Roh oder gekocht?

v. SCHLETTOW Gekocht, aber nich so fett!

JELLINEK Nich so fett wie sonst bei Juden, was?

v. SCHLETTOW Gottvoll! Zum Piepen! *Sieht sich um* Eigentlich trostlos, der Ausschank. Wie 'n Bahnhof oder so was. Sagense mal, kennen Sie all diese Damens persönlich?

JELLINEK Die meisten beruflich. Ich bin doch Assistent im Frauenkloster in der Charité. Da lernt man so manches kennen, wissense.

v. SCHLETTOW *nachdenklich* Sie als Mediziner haben's doch bedeutend leichter – mit dem Anschluß ans andere Geschlecht.

JELLINEK Na, hörense mal, 'n Offizier wie Sie, der sticht doch alles aus. Jung, adlig, Garde, was wollense mehr!

v. SCHLETTOW Na ja, in Uniform, da geht's ja, da macht man Figur, das gibt 'n kolossalen Halt, da is man 'n ganz anderer Kerl. Wissense – in Staatsbürjerkluft – da komm ick mir immer vor wie ne halbe Portion ohne Mostrich.

JELLINEK *lacht.*

v. SCHLETTOW In son Lokal wie hier, da is nu mal nich anders möglich. Aber wenn in Bongkö nich de quicksten Billardfritzen von Berlin und Umgebung zu treffen wären – dann käm ich hier gar nich her.

JELLINEK Is doch ganz harmlos. Is doch keine Räuberhöhle.

v. SCHLETTOW Ja, aber – für Militär verboten – eigentlich. Sehnse – das müssense sich mal vorstellen – unsereins – Offiziersfamilie seitm Siebenjährigen Krieg, Großvater noch gewöhnlicher Linieninfantrist, janz ohne »von« vorne – da is man nu in punkto Firmenschild verdammt aufm Kasten. Offiziersberuf is dauernde öffentliche Verantwortung, hat mein oller Herr immer gepredigt – und damit hat er's bis zum Kommandierenden General gebracht. Aufn bunten Rock kein Stäubchen – das is mir Lebensaufgabe.

JELLINEK Jaja, das kann ich verstehn. Möchte auch lieber aktiv sein, statt fremden Leuten die Bauchdecke aufzuklappen.

KELLNER *kommt mit den Schnäpsen.*

V. SCHLETTOW *versunken* Also ich hab mir beim Wormser ne neue Uniform geleistet – ich sage Ihnen – 'n Glanz wie son frischgestriegelter Rappenhals.

JELLINEK *hebt sein Likörglas* Sehr zum Wohle!

V. SCHLETTOW Wöhlchen, Prösterchen, hipp hipp hurra, möge Ihnen zum Heile gereichen!

KELLNER *hat ihm inzwischen Sodawasser eingegossen, geht.*

V. SCHLETTOW Wo bleiben denn die Eier?

KELLNER Sofort. Missen erst jekocht werden.

V. SCHLETTOW Jelegt sinse hoffentlich schon.

EINE NEUE DAME *kommt herein, geht langsam durchs Lokal. Sie ist blond, voluminös, noch recht jung, aber etwas quallig und mit einem leisen Stich. Kleidung Halbseide, nicht mehr neu. Sie geht, mit der Tasche schlenkernd, an einen leeren Tisch, setzt sich. Lächelnder Augengruß zwischen ihr und Jellinek.*

V. SCHLETTOW *leicht degoutiert* Die kennense auch schon wieder?

JELLINEK Die? Das ist doch die Plörösenmieze, ne ganz originelle Person. Hab ich Ihnen nie die Geschichte erzählt, wie die zum erstenmal – kommen se mal her, das kann ich nich so laut –

V. SCHLETTOW *beugt sich vor, Jellinek erzählt leise, flüsternd.*

KALLE Na, Willem, woran denkste.

VOIGT Icke? Ick denke jarnischt. Ick döse nur. Wenn 'ck mitm Löffel in Kaffesatz riehre, denn fällt mir immer de Kartenjule in, det war ne Tante von mir. Mensch Willem, hatse jesacht, sooft ick ihr mein Kaffesatz jebracht habe – aus dir wird mal was, da wirste dir selbst nich mehr kennen.

KALLE So weit hastet ja nu balde jebrungen.

VOIGT *rätselhaft* So was is nich von de Hand zu weisen. Neenee. Und mit de Sterne – det is nu ooch son Ding. Jloobste vielleicht, die jehn uns nischt an, weil se so weit wech sind? Denn hast du keene Ahnung von.

KALLE Nee, Willem, da ha'ck nu jrade wat janz andres jedacht.

VOIGT Wat denn?

KALLE Det will'ck dir sagen. Unsereens, wat so lange in Sanatorium jesessen ist, der muß sich nu erst mal aufbauen. Sonst kann er jarnischt wieder werden.

VOIGT Wie meinstn det?

KALLE Det mein ick, wie'cks meine. Wer jesessen hat, muß wieder uffstehn. De Hauptsache is, daß der Mensch noch hinten hoch kann. Schau dir doch mal um! *Weist auf die umhersitzenden Damen* Kiek ma den Saftladen! Haste denn gar keen Blutdruck mehr?

VOIGT Na ja, det is schon wahr. Man mechte ja ooch mal wieder Mensch sind. – Aber – det kost ne Kleinigkeit.

KALLE Ich jloobe, zu zweit is billiger. Wieviel hastn noch?

VOIGT Zwee fuffzig, und 'n paar Fennije.

KALLE Zeig mal her. Wolln ma zählen.

Sie beugen sich über den Tisch, zählen ihre Geldstücke. Inzwischen ist die Plörösenmieze aufgestanden und an den Tisch von Schlettow und Jellinek herangeschlendert. Gleichzeitig bringt der Kellner Schlettows Essen: Eier im Glas, Schinken, Butter und Gebäck.

PLÖRÖSENMIEZE *wiegt sich ein wenig* Tachchen.

JELLINEK Na, Mieze, wie is denn?

PLÖRÖSENMIEZE Wie soll denn sind. Am Ahmd is duster, und in Zylinder brennt keen Licht.

V. SCHLETTOW *mit dem Salzfaß hantierend, sichtlich unangenehm berührt* Ganz so schlimm wird's ja nu ooch nich sein.

PLÖRÖSENMIEZE Ick bin so frei und setze mir.

V. SCHLETTOW Nee, danke. Wir sind hier geschlossene Gesellschaft. Wennse nen Schnaps wollen, schick ich Ihnen rüber.

PLÖRÖSENMIEZE *ruhig und trocken* Uff Ihrn Schnaps frei ick mir schon seit letzte Weihnachten. Essense man Ihre Eier, sonst werne kalt. Sie ham wol 'n Sonnabendabend bei Ihre selije Großmutter verbracht. *Geht weiter.*

V. SCHLETTOW *zu Jellinek* Ekliges Weib. Is mir absolut peinlich, so was. Wissense, Doktor – das Vulgäre liecht mir nich. Da kann ich gar nichts mit anfangen. *Essend* Aber Heiraten is auch nischt. Nette Mädchens haben alle kein Geld.

JELLINEK *lachend* Na, zwischen so einer und ner Erbkomtesse gibt's ja noch allerhand Zwischenstufen, nich?

v. SCHLETTOW Gewiß – wenn man bedenkt – Berlin is ja schließlich groß; aber grade in soner großen Stadt, da is man oft ganz verdammt solo.

JELLINEK Ihnen steht doch jeder Salon offen. Gehnse nich viel in Gesellschaften?

v. SCHLETTOW Eigentlich nur zu den offiziellen. Regimentsball oder so. Wissen Sie – ich bin kein leichtlebiger Mensch. Ich nehme das alles blödsinnig ernst.

JELLINEK *rauchend, uninteressiert* Das is nu mal so. Wir Deutschen machen's uns immer so schwer, nich?

v. SCHLETTOW Richtig. Das macht die Erziehung, glaub ich. Also ich hab schon im Kadettenkorps sehr viel nachgedacht. Aber was heißt das, man hat ja 'n Dienst, nich? Das geht doch über alles, da wird man wieder 'n Mensch, nich wahr? *Wieder ganz frisch* Kann Ihnen sagen, wenn man so morgens auf'n Gaul steigt und denn raus auf'n Schießplatz und quer übers Gelände geprescht, und dann 'n paar Kommandos, und sone Truppe entwickelt sich haargenau, sag ich Ihnen, wie son Uhrwerk! Und überhaupt der ganze Kompaniedienst, wo man jeden einzelnen wie seine Tasche kennt –

JELLINEK Ja, der Beruf ist natürlich die Hauptsache. Wenn bei uns mal ne ordentliche Bauchhöhlenschwangerschaft vorkommt, oder 'n Zwanzigpfundmyom, oder 'n glatter sauberer Kaiserschnitt – ja, da is man 'n ganz anderer Mensch, da strahlt man wie 'n Weihnachtsbaum!

v. SCHLETTOW Nee, nich mein Fall. Denn lieber zehn Stunden Griffekloppen.

JELLINEK *lacht.*

v. SCHLETTOW Kann Ihnen sagen – der Dienst – wenn ich das nicht hätte –

JELLINEK *gelangweilt* Rauchen Sie?

v. SCHLETTOW Danke, gern! *Bedient sich. Beide paffen stumm, haben sich nichts mehr zu sagen.*

PLÖRÖSENMIEZE *ist inzwischen weitergegangen und dabei in der Nähe von Voigt und Kallenberg vorbeigekommen. Die folgen ihr mit den Augen, schauen einander an, zögern eine Weile, dann ruft…*

KALLE Sie, Frollein, kommense mal 'n bisken näher. Wissense was? Ick sage immer: Morjenstund is aller Laster Anfang.

PLÖRÖSENMIEZE *sieht ihn über die Schultern an, zeigt ihre Zähne* Du meinst wol: Müßigjang hat Jold in Munde, wat?

KALLE *scheppernd vor Vergnügen* Die is richtig! Det ha'ck ja gleich jewußt, die is goldrichtig! Na, bleib doch man, wo willste denn schon wieder hin, Mäusken?

PLÖRÖSENMIEZE Wohin? Auf Toilette.

KALLE Mußn det jleich sind?

PLÖRÖSENMIEZE Nee, eilt jarnich. Bei mir heißt's immer wie in det scheene Lied: »Is ja nich forn eignen Leib, sondern nur forn Zeitvertreib!« *Kommt an den Tisch.*

KALLE Siehste siehste, det is ne erste Nummer – un de zweite folcht sogleich, wat?

VOIGT *setzt seine Stahlbrille auf.*

PLÖRÖSENMIEZE Na, Alterchen, wat kiekstn. Jefall ick dir?

VOIGT *schmunzelt – schiebt ihr mit höflich einladender Handbewegung seinen nur angetrunkenen Kognak hin.*

PLÖRÖSENMIEZE Danke, Sießa! *Sie setzt sich, trinkt* Uff dein jeehrtes Wohlerjehn!

KALLE Mensch, da haste ne Eroberung jemacht, haltse fest, solangse noch warm is. Ick hab mir jleich jedacht, Molle, wie'ck dir jesehn habe: »Dieset kleene Aas, macht forn Taler Spaß!«

PLÖRÖSENMIEZE Kusch, Kleener, vaschluck dir man nich! Bist wol 'n bisken doof, was? Unter fimf Mark pro Neese is bei mir nischt zu machen, det sag ick immer gleich, damit keene Jereiztheiten uffkommen.

KALLE Na, hör mal, Molle, det is doch 'n bisken happig, nich?

PLÖRÖSENMIEZE Wat, handeln willste? Noch dazu an Sonntach-vormittag, wo'n anständijer Mensch in de Kirche jeht, oder bei die militärische Platzmusik? Scheemste dir 'n jar nich? Nee, so kannste bei mir nich in Omnibus insteijen, so nich.

VOIGT Siehste, Kalle.

KALLE Schnauze, Mensch! Misch du dir mal nich rin, det va-stehste nich. Sehnse, Frollein, wir sind zwee janz armselige jeknickte Unschuldslilien, wir komm neemlich direkt aus de

Plötze, da ham wa jahrelang jesessen mutterseelenalleine bei Wasser und Brot, und nu ham wa keene Menschenbrust und keen Koppkissen uff die weite Welt – Frollein, Sie ham doch 'n jutes Herze, det seh'ck Ihnen doch an. Hamse doch Mitleid mit zwee unjlickliche ausjestoßene Jlieder der menschlichen Jesellschaft.

PLÖRÖSENMIEZE Na nu flenn mal hier nich. Det hat jar keen Zweck. Da biste janz an de falsche Adresse jekommen. Du meinst wol, du bist hier bei 'n Handarbeitskränzchen wohltätijer Damen for de frierenden Negerkinder in Afrika.

KALLE An Sonntachmorjen findste ja doch keen Zavalier mit 'n dicken Portmonneh.

PLÖRÖSENMIEZE Du mit deine ejiptischen Oogen und deine Karbolschnauze kommst for mir ieberhaupt nich in Frage. Wenn ick jeh, jeh'ck mit Jroßvatern, det is mal wat andres, und det is ooch 'n feiner Mensch, mit den seine Brille kann man sich doch jebildet unterhalten, nich wahr, Ollerchen?

VOIGT *lächelt freundlich, wiegt aber bedenklich den Kopf.*

KALLE *macht ihm Zeichen, daß er jetzt reden solle.*

PLÖRÖSENMIEZE Na, wie is, Vating, bist woll in Vaein fier staubdumme Kanarienzichter?

VOIGT Vazeihnse, mein Frollein – ick hab neemlich nur noch zwee Mark fuffzich Jesamtkapital – un davon mißt ick'n paar Groschen ieberbehalten for de Penne un for de Stadtbahn.

KALLE Wat heißt hier Stadtbahn, Mensch! Wennste von det Frollein kommst, denn hippste wie 'n junger Hase. Nee, Kinder, ick wer eich sagen, wat gesund is: wa nehm den seine zwee fuffzich, ick lege noch fimf Jroschen druff, denn lumpen laß ick mir nich! – un denn jehn wa zu dritt vorn scheenen breißischen Daler.

PLÖRÖSENMIEZE Ausjeschlossen. Dir nehm ick nich mit. Wenn'ck jeh, jeh ick mit Jroßvatern.

Sie tätschelt Voigts Hand. Er schmunzelt. Gleichzeitig erhebt sich draußen vorm Lokal ein ziemlicher Lärm, man hört eine betrunkene Soldatenstimme das Lied vom Reservemann grölen.

KALLE Also, Willem, det kannste nich machen, det is jejen de

Vereinbarung! Det kannste nich machen, Willem, du hast doch schließlich noch 'n Funken Ehrjefiehl im Leibe.

VOIGT *bedächtig* Nee, Kalle, det mach'ck ooch nich. *Zur Plörösenmieze* Det kann'ck nich machen.

PLÖRÖSENMIEZE Jottedoch, bist du 'n Ehrenpussel!

KALLE Da wär'ck neemlich sehr beese, wär'ck da!

PLÖRÖSENMIEZE Und det wär nu ooch 'n Malheur.

EIN STARK ANGETRUNKENER GARDEGRENADIER *erscheint durch die Drehtür. Hinter ihm ein ebenfalls ziemlich beduselter Zivilist.*

DER GRENADIER *grölend*

> »– und es wird nicht lang mehr dauern,
> dann hat Reserve Ruh!«

DER ZIVILIST Nee, Aujust! Aujust! Komm doch bei dich! Mensch, noch biste Soldat!!

DER GRENADIER Det is mir piepewurschtejal. Morjen is um mit de zwee Jahre!! Heite is heite. Det is mir piepewurschtejal!! Oba! Zwee jroße Helle und zwee doppelte Korn!

V. SCHLETTOW Unerhört! Was fällt denn dem Kerl ein! Hier is überhaupt für Militär verboten!! 'n Mann vom dritten Garderegiment zu Fuß, 'n alter Soldat mit der Schützenschnur!

JELLINEK Seinse vernünftig, Schlettow, mischense sich nich rein, Sie sind ja hier Zivil und Privat.

V. SCHLETTOW Das kann ich nich mit ansehn, so was, das kann ich nich mit ansehn.

JELLINEK Ober, zahlen! *Aber der Ober kommt nicht.*

PLÖRÖSENMIEZE Nee, Jungens, ihr seid mir zu ausjemickert. Wenn ieberhaupt nich mehr wie 'n Taler rauskommt, denn jeh'ck lieber zum Jardedükör. *Steht auf, schlenkert an den Tisch des Grenadiers hinüber.*

DER GRENADIER Komm ma ran, sieße Schnecke – *Schlägt sich auf die Brust* – hier is Kasse, hier is Löhnung, hier sitzt de Marie! Nee, nich uffn Stuhl, setz dir man uff mein Schoß, ick hab so scheene spitze Kniee! *Zieht sie auf seinen Schoß.*

DER ZIVILIST Aujust! Noch biste Soldat!

30

DER GRENADIER Det is mir piepewurschtejal, verstehste!

PLÖRÖSENMIEZE Mensch, du hast dir aber mächtig beschmettert!

DER GRENADIER Det jloob ick, Puppe. Is ja allens ejal. Heite
lustig, morjn kaputt. *Er faßt sie an, sie quietscht.*

V. SCHLETTOW *rückt nervös auf seinem Stuhl hin und her.*

JELLINEK *legt die Hand auf seinen Arm* Ober, zahlen!

KELLNER *ohne zu kommen* Sofort.

VOIGT Siehste, Kalle, det is nu mal nich anders. Wenn eener mit
'n bunten Fell un blanke Kneppe kommt – un denn kennten
wa ooch zehn Märker uffn Tisch legen – da is nischt mehr ze
wollen.

KALLE Det wär ja nu jelacht. Det wär ja nu noch scheener. Det
wolln wa nu mal sehn.

VOIGT Da jibt et nischt zu sehn, Kalle. Wie de aussiehst, so wirste anjesehn.

KALLE Du valleicht, ick nich! Det laß ick mir nich jefallen! Ick
nich! *In hysterischer Aufregung* Det wolln wa sehn! Det wolln
wa sehn!

DER GRENADIER *schaukelt die Plörösenmieze auf seinen Knien, grölt*

>>Jloobste denn, jloobste denn,
Du Balina Pflanze,
Jloobste denn, ick liebe dir,
Weil ick mal mit dir tanze!<<

KALLE *geht zu ihm an den Tisch* Sie, Herr, nemmse mal die Finger
von die Dame, die Dame is meine Braut!

PLÖRÖSENMIEZE Du hast wol 'n kleenen Webefehler, wat? Ma-
noli linksrum, wat?

KALLE *den Grenadier anschreiend* Hörnse nich, Sie oller Bierplant-
scher!! Hamse nich jesehn, daß die Dame an mein Tisch jesessen is?

GRENADIER Wat will denn det kleene Kamuffel. Dem soll'ck
wol mal de Eisbeene knicken.

PLÖRÖSENMIEZE Laßn doch, der hat ja Bohnen jefrühstückt.

31

KALLE *ballt die Faust* Mensch, ick leg dir 'n Finfmarkstick in dein demliches Jesichte, detste vier Wochen dran zu wechseln hast!

DER GRENADIER Det kannste jleich haben. *Er langt an der Plörösenmieze vorbei und haut Kalle eine Ohrfeige.*

KALLE Det sollste bießen, Mensch, det sollste bießen! *Er packt ein volles Bierglas, schüttet aus einiger Entfernung den ganzen Inhalt auf den Grenadier.*

DER GRENADIER *begossen, springt wutbrüllend auf, zieht sein Seitengewehr* Dir mach'ck kalt! Kalt machn wer'ck dir!!

KALLE *retirierend* Jetzt kommt er mit'n Keesemesser! Det laß man stecken, du Hammel, det is ja nich geschliffen!

V. SCHLETTOW *springt auf* Jetzt geht's zu weit! Das kann ich nich mit ansehn! *Auf den Grenadier los* Was fällt Ihnen denn ein! Ich lasse Sie abführen! Kommense doch zu sich, Mensch! Sie sin Soldat!! Waffe weg!!

GRENADIER *steckt das Seitengewehr ein* Jawoll, bin'ck! Soldat bin'ck, un deshalb hast du mir ieberhaupt nischt zu sagen!

V. SCHLETTOW *scharf, ohne zu schreien* Folgen Sie mir!! Ich bin Hauptmann im ersten Garderegiment!

GRENADIER Det kann jeder sagen! For mir biste 'n deemlicher Zivilist!

V. SCHLETTOW Sie verlassen sofort das Lokal! Folgen Sie mir zur nächsten Wache! Nehmense die Knochen zusammen!

GRENADIER 'n janz deemlicher Zivilist! Jeh doch nach Hause und zieh dir um, denn kannste mir wat erzählen, so nich, Männeken, so nich!!

ZIVILIST Mach dir nich unglicklich, Mensch! Mach dir nich unglicklich!

V. SCHLETTOW Sie folgen mir! Oder ich hole die Polizei! Los! Vorwärts! *Faßt ihn an.*

GRENADIER Pfoten wech! Ick laß mir nich anriehren! Ick laß mir nich anriehren!! *Er schlägt Schlettow mitten ins Gesicht.*

V. SCHLETTOW *brüllt auf* Was?! Verfluchter – *Packt ihn, sie kämpfen, der Tisch fliegt um, die Weiber kreischen, Tumult.*

PLÖRÖSENMIEZE *am Eingang* Polizei! Polizei!

PASSANTEN *von der Straße herein* Was isn da los? Da is ne Hauerei! Jib ihm, jib ihm Saures!!

SCHUTZMANN *mit Pickelhaube, schiebt die Leute auseinander* Wollt ihr wohl! Det is doch – Laß den Soldaten los! *Stürzt sich auf Schlettow und den Grenadier, trennt sie.*

V. SCHLETTOW *blutend, mit heruntergerissenem Kragen* Nehmen Sie den Mann fest! Bringen Sie ihn auf die Wache!

SCHUTZMANN *packt ihn mit Polizeigriff* Los! Beide mitkommen!

V. SCHLETTOW Was fällt Ihnen ein! Der Mann hat mich angegriffen! Ich hab ihn nur zur Rede gestellt! Ich bin Hauptmann im ersten Garderegiment!

GRENADIER Det kann jeder sagen! Ohne Charge biste for mir 'n janz deemlicher Zivilist!!

SCHUTZMANN Vorwärts! Beide mit!

GRENADIER Da kann ja jeder kommen! Det is 'n janz jemeiner Zivilist, is det!

PASSANTEN Recht so! Laß dir man nichts jefallen. Wozu biste Soldat!

PLÖRÖSENMIEZE Der Kerl sagt, er wär Hauptmann, det is aber gar keen Hauptmann!

STIMMEN Frechheit so was! 'n Grenadier zu belästigen! Hautn aufn Deez!

SCHUTZMANN Vorwärts. Platz da, es kommen beide mit.

JELLINEK, *der sich die ganze Zeit ängstlich an seinem Tisch gehalten hat, zu dem Schutzmann* Lassense den Herrn los, das ist 'n wirklicher Hauptmann, ich kann ihn legitimieren!

SCHUTZMANN *stur* Det hilft nichts, det war ne Hauerei, es müssen beide mit.

V. SCHLETTOW *völlig gebrochen, wird mit dem Grenadier abgeführt.*

JELLINEK Na, der kann sich gratulieren. *Ab ins Billardzimmer.*

KALLE *wieder bei Voigt am Tisch, hält sich die Backe* Au weh, Mensch, aua, aua, Mensch.

VOIGT Siehste, Kalle – wat hab ick immer jesagt? Wie der Mensch aussieht, so wird er anjesehn.

KALLE Aua, aua. *Er weint.*
Dunkel.

33

Vierte Szene

Personen: Prokurist Knell, Büroangestellter Hirschberg, Tippmädchen, Bürodiener, Arbeitsuchende, Wilhelm Voigt

*Personalbüro der Engros-Schuhfabrik ›Axolotl‹. Reklamebilder mit
dem Firmentier in verschiedensten Variationen an den Wänden: »Tragt
Axolotl« – »Axolotl-Halbschuhe sind die besten! Jedes Paar 12 Mark
50!« – »Axolotl, der schicke Großstädterstiefel! – »Fest im Lebens-
kampfe steht, wer auf Axolotl geht!« – »Gutachten bedeutender Wis-
senschaftler über die durch Axolotl wiedergewonnene Normalfuß-
form!« – »Bequem, billig, haltbar« – und so weiter. Im Hintergrund
Glastüren, durch die man reihenweise Tippmädchen an langen Büroti-
schen sitzen sieht und Maschinengeklapper hört. Im Vordergrund Prokurist Knell und Herr Hirschberg einander gegenüber an Schreibtischen
hinter einer Holzschranke, ähnlich wie in einem Polizeibüro. Knell
unterschreibt Anstellungsverträge, hinter ihm steht ein junges Mädchen, das ihm die Papiere aus Mappen zureicht und die unterschriebe-
nen an sich nimmt. Hirschberg sitzt rechnend über Lohnlisten.*

KNELL *singt, schreibend und löschend, mit monotoner Stimme und un-
bewegtem Gesichtsausdruck vor sich hin, nach der Melodie der ›Mat-
chiche‹*

> »Wenn meine Frau sich auszieht,
> Wie die denn aussieht,
> Die Beene wie zwee Kiepen,
> Et is zum Piepen.«

BÜRODIENER *tritt ein, bleibt stehen, legt die Hand an die Mütze.*

KNELL
> »Wenn meine Frau sich auszieht,
> Wie die denn aussieht,
> Die Beene wie zwee Kiepen,
> Et is zum Piepen.«

Er unterschreibt weiter, ohne aufzusehen.

BÜRODIENER *verharrt in strammer Haltung.*

KNELL »Wenn meine Frau sich auszieht –« *Er macht die letzte Unterschrift, klappt die Mappe zu* So, die wären besorgt. – Hirschberg, notierense gleich für die Lohnlisten: 25 Gelernte, 12 Mädchen für die Knopfabteilung, 10 Jungens als Maschinenlehrlinge, 15 Packer neu eingestellt. Morgen früh tretense an.

DAS MÄDCHEN *mit den Mappen ab.*

KNELL Was gibt's, Krause?

BÜRODIENER Da warten noch Sticker zwanzig Arbeitsuchende, uff de Annongse fier de neie Fabrik in Tempelhof.

KNELL Gelernte?

BÜRODIENER Mehrstenteels.

KNELL 'n Dutzend kann ich noch brauchen. Lassense se reinkommen, einer nach dem andern, aber Trabtrab!

BÜRODIENER *ab.*

KNELL »Wenn meine Frau sich auszieht –«
Er bricht ab. Erster Arbeitsuchender tritt ein.

KNELL Wo hamse gedient?

ARBEITSUCHENDER Beim Loiberregiment, Herr Prokurist.

KNELL Aha, Bayer. Recht so. Wann hamse gedient?

ARBEITSUCHENDER 1899 auf 1901, Herr Prokurist.

KNELL Mit welcher Charge sinse abgegangen?

ARBEITSUCHENDER Als G'freiter der Reserve, Herr Prokurist.

KNELL Gut der Mann, wie heißt der Mann, der Mann kann beschäftigt werden. Zeigense mal Ihre Papiere.

ARBEITSUCHENDER *tut's.*

KNELL *blättert sie rasch durch* In Ordnung. Morgen früh tretense an, Schuhfabrik Axolotl Tempelhof.

ARBEITSUCHENDER Zu Befehl, Herr Prokurist! *Ab.*

KNELL Sehnse, Hirschberg, Sie müssen mit den Leuten nur militärisch reden, denn bekommense die knappsten und klarsten Auskünfte.

VOIGT *ist inzwischen eingetreten.*

KNELL Wo hamse gedient?

VOIGT Bei verschiedene Handwerksmeister, und denn hab ick mir in de staatliche Schuhfabrikation ausjebildet.

KNELL Ich meine, wo hamse gestanden?

VOIGT Gestanden? – Ick hab nur gesessen.

KNELL Ja, warense denn nie Soldat?

VOIGT Nee, dazu bin ich garnich gekommen. Ick bin nämlich vorbestraft. – Det sag ich lieber gleich, als daß es nachher rauskommt. Ick denke mir, bei de Industrie, da sinse großzügig. Ick bin Spezialist in Maschinenarbeit.

KNELL Na zeigense mal ihre Papiere her.

VOIGT *nimmt ein Blatt aus einem Briefumschlag, reicht es ihm.*

KNELL *sieht sich's an* Was ist denn das? Sin doch keine Papiere.

VOIGT Der Jefängnisdirektor hat mir jesagt: wennse arbeitswillig sind, denn kriegense auf die Empfehlung mehr Arbeet, als se leisten kennen.

KNELL Sie müssen Ihre polizeiliche Anmeldung vorweisen, oder einen Paß.

VOIGT Det jebense mir nich auf de Polizei, solang ich keene Arbeit habe.

KNELL Ohne ordentliche Papiere kann ich Sie nich einstellen. Wo käm man denn da hin. Hier herrscht Ordnung! Jeder Mann muß seinen Stammrollenauszug in Ordnung haben; wennse gedient hätten, wär Ihnen das in Fleisch und Blut übergegangen.

VOIGT *ganz ruhig und trocken* Ick hab jedacht, hier wär ne Fabrik. Ick hab nich jewußt, daß det hier ne Kaserne is. *Geht.*

KNELL Raus! Frecher Mensch!! Unerhört so was. Sehnse, Hirschberg, da habense's. Ich weiß genau, warum ich gediente Leute bevorzuge! Heutzutage, bei der Wühlarbeit der Sozialdemokraten – da muß man doch wissen, wen man im Haus hat! Wie soll man sich denn sonst auf seine Leute verlassen können! *Zum dritten Arbeitsuchenden, der inzwischen eingetreten ist* Wo hamse gedient??
Dunkel.

Fünfte Szene

Personen: v. Schlettow, sein Bursche Deltzeit, Zuschneider Wabschke

Elegant möbliertes Zimmer in Potsdam. Plüschsessel, Nippes, Photos von militärischen Feiern und Schlachtenbilder an der Wand.

v. SCHLETTOW *in Hosen, Gürtel und Hemd.*
DELTZEIT *sein Bursche, steht vor ihm, starrt ihn hilflos an.*
v. SCHLETTOW Und nun, mein lieber Deltzeit, danke ich Ihnen nochmals für alles. Sie waren tadellos. Es hat immer auf die Sekunde geklappt. Sie kommen jetzt in die Kompanie zurück, und Sie werden auch dort wieder Ihre Pflicht tun und die Zufriedenheit Ihres neuen Vorgesetzten erringen, das erwarte ich von Ihnen.
DELTZEIT *mit leicht ostpreußischem Tonfall* Härr Hauptmann – ich kann gar nicht begreifen –
v. SCHLETTOW *freundlich barsch* Das geht Sie auch gar nichts an. Lange Leitung, was? Sie als Bursche müßten das doch kapieren. Wenn einem Offizier so was passiert, in einem öffentlichen Lokal, da gibt's nur eine Konsequenz: Abschied einreichen. Verstanden? Daß ich keine Wechsel gefälscht habe – das werden ja auch die Kerls in der Kompanie – nich von mir glauben – *Erstarrt.*
DELTZEIT Härr Hauptmann haben doch gar nichts für können. Härr Hauptmann haben doch nur –
v. SCHLETTOW Quasselnse nich, Deltzeit. Soviel Pech darf 'n Soldat nich haben, das is es. Unglück is auch 'n Versagen. Schluß jetzt.
DELTZEIT *schluckend* Härr Hauptmann warren immer so gut –
v. SCHLETTOW Stillgestanden! Nehmense sich zusammen, Deltzeit. Sie sind doch 'n Mann. *Gibt ihm die Hand* Adieu! Raus!
DELTZEIT Adieu, Härr Hauptmann. *Macht militärisch kehrt, geht.*
v. SCHLETTOW *bleibt auf der Stelle stehn, starrt vor sich hin. Es schellt. Gleich darauf erscheint Deltzeit wieder in der Tür.*

DELTZEIT Verzeihn Härr Hauptmann, wenn ich nochmal – da is der Schneider mit der neuen Uniform – soll ich ihm –

V. SCHLETTOW *beißt sich auf die Lippen* Lassense'n reinkommen. Los! Der Mann soll reinkommen!

DELTZEIT Zu Befehl, Härr Hauptmann! *Ab.*

V. SCHLETTOW *gibt sich einen Ruck, fährt sich übers Haar.*

WABSCHKE *mit der neuen Uniform, in Seidenpapier geschlagen* Herr Hauptmann, da isse! Ick kann Ihnen sagen, wennse die nu anziehn, da wernse keen Jefiehl mehr haben.

V. SCHLETTOW Zeigense mal her.

WABSCHKE *schält sie rasch aus dem Papier, hält sie hoch, die Gesäßknöpfe nach vorne.*

V. SCHLETTOW *mustert sie, nimmt scharf das Augenmaß, nickt beifällig* Jetzt stimmt's, jetz is in Ordnung. Das seh ich aufn ersten Blick.

WABSCHKE Da ham wa 'n mächtijes Stick Arbeit mit jehabt, Herr Hauptmann. Wa mußten de Schoßfalte ufftrennen, sehnse, und denn stimmte det wieder in de Tallje nich.

V. SCHLETTOW Gebense mal. *Nimmt den Rock, schlüpft hinein.*

WABSCHKE *zupft ihm die Rockzipfel zurecht* 'n Kunstwerk, Herr Hauptmann. Det is keen Rock mehr, det is 'n Stick vom Menschen. Det is de bessere Haut, sozusagen.

V. SCHLETTOW *vorm Spiegel* Da fehlt nichts. Wirklich tadellos.

WABSCHKE Da reißt der Spiegel de Knochen zusammen. Man hört's orntlich knacken.

V. SCHLETTOW *dreht sich herum, knöpft den Rock auf* So. Nu tragense das mal ins Geschäft zurück, und fragen Sie Herrn Wormser, ob er die Uniform in Kommission übernehmen will. Ich kann sie nich brauchen. Wenn er se nich loskriegt, komm ich natürlich dafür auf. Für die Differenz auch – selbstverständlich.

WABSCHKE Ja, wieso denn, Herr Hauptmann, Se wollen de scheene neie Uniform –

V. SCHLETTOW *mit erzwungener Heiterkeit* Plan jeändert, Wabschke. Werde mal 'n bißchen Landwirtschaft betreiben. Hatte schon immer so was vor. Kleine Erbschaft, Kornklitsche, Pferdezucht, is ja viel besser, aus mitn bunten Rock. *Hat den Rock ausgezogen, gibt ihm ein Fünfmarkstück* So, nu packense ein.

WABSCHKE *schlägt die Uniform ein* Danke, Herr Hauptmann. *Nach einer kleinen Pause, während der Schlettow pfeift* Herr Hauptmann sollten sich det nich so zu Herzen nehmen.

V. SCHLETTOW Wieso denn? Was wollense denn, ich will ja.

WABSCHKE Ick weiß ja nu nich – det jeht mir ooch nischt an. Ick meine nur – *Fast zart, behutsam* – det Militär is ja sehr scheen, aber es is nu wirklich nich det einzige uff de Welt. De Welt is jroß, und jeden Morjn jeht de Sonne uff. Wenn eener jung is – und jesund – und grade Knochen hat – ick meine – wenn eener 'n richtiger Mensch is, det is doch de Hauptsache, nich?

V. SCHLETTOW Na, gehnse mal. 'n schönen Gruß an Herrn Wormser.

WABSCHKE Dankscheen. *In der Tür* Ick meine, det is doch de Hauptsache, Herr Hauptmann. *Ab, mit der Uniform.*

V. SCHLETTOW *allein* Vielleicht – vielleicht hat er recht – Nee, pfui!
Dunkel.

Sechste Szene

Personen: Der Herbergsvater, einige Pennbrüder, darunter Buttje, Zeck, Jupp, Höllhuber, Gebweiler, Kallenberg, Wilhelm Voigt. Die Wachtpatrouille: ein Vizefeldwebel, ein Gefreiter, zwei Mann

›Herberge zur Heimat‹ *im Berliner Norden, saubere Bretterwände, mit Dachpappe und Zeitungspapier abgedichtet, zweistöckige Bettstellen aus Holz und Maschendraht, Strohsäcke, Karbidlampen. Mehrere Bettstellen sind schon besetzt. Im Hintergrund sieht man Wartende vor der offenen Tür stehen.*

DER HERBERGSVATER *in der Tür hinten* Sieben Stick kennen noch rin! Nur nich drängeln, das hat gar keen Zweck, laßt man, laßt man, ick darf nich mehr nehmen, wie'ck Betten habe. Wer am längsten wartet, kommt rin, die andern kann ick nich helfen, probiert man bei de Heilsarmee, da is immer noch Platz.

STIMME *draußen* Nee, da missen wa singen, denn jeh'ck lieber in Tiergarten!

VATER Nich drängeln, immer mit de Ruhe, wer an de Reihe is, kommt rin! 'n Sechser for de Bettmarke, und 'n Jroschen for de Eßmarke, wer morjen frih Suppe und Brot haben mechte.

ZECK *kommt als erster.*

VATER Tach, Zeck. Da biste ja wieder.

ZECK Tach, Oller, ick sage dir gleich, weine nich, mir siehste heite zum letztenmal.

VATER Det hab ick doch schon mal jehört, det kommt mir so bekannt vor –

ZECK Nee, Tatsache, ick hab ne Anstellung als Weltmeister im Ringkampf bei ne Jahrmarktstruppe. Morjn jeht's los. Ick hab schon fuffzig Fennije Vorschuß injenommen.

VATER Na, paß nur uff, detste keenem de Rippen quetschst, sonst fliegste wieder raus. *Zum nächsten* Nanu, wat bistn du for eener?

HÖLLHUBER *in bayrischer Gebirgstracht, mit Kniehosen und Gamsbart* Solojodler.

VATER Wat isn det?

HÖLLHUBER Solojodler, von der Stimmungskapelle Almenrausch und Edelwoaß. Aber der Schöf hot mi außaghaut, weil i grauft hab.

VATER Und wat machstn jetzt?

HÖLLHUBER Jetza? Hoamagenga.

VATER Wat meent er?

ZECK Zu Hause will er jehn.

VATER Wo bistn du zu Hause?

HÖLLHUBER In Hiaglgwimpffn bei Sanktmariägschwändt.

VATER Mensch, da hastn mächtjes Ende zu tippeln, denn ruh dir man gut aus.

40

ZECK Und sieh man zu, detste dir nich vakiehlst, mit deine nacklichten Beene! *Haut ihm aufs Knie.*

HÖLLHUBER Willst mi net anriehrn, Bluetsau blutige!

ZECK Mensch, du kannst wol keen Spaß vastehn, bist von 'n janz unziselierten Völkerstamm, wat?

VATER Zeck, inkommodier ihm nich, der Mann is jereizt, weil er so weit von Hause is. *Hat inzwischen Gebweiler und Jupp hereingelassen.*

HÖLLHUBER Saudumms Gfrett saudumms. *Setzt sich brummend abseits.*

VATER *läßt Voigt ein* Na, haste nu Arbeet jefunden?

VOIGT Nee, nischt zu wollen.

VATER Wat denn, willste keene Eßmarke?

VOIGT Danke. Hab keen Groschen mehr.

VATER Da haste eene uff Pump, du mußt doch morjn frih 'n warmen Leffel in Leib kriegen.

VOIGT Ick wer nachzahlen, sobald ick wat habe. Scheenen Dank einsweilen.

KALLENBERG *hinter Voigt* Mir ooch ne Pumpmarke, bittscheen, bittscheen.

VATER Du hast doch jrade noch 'n Jroschen in die Finger jehabt.

KALLENBERG Ja, aber der is mir wieder in Ärmel jerutscht, den brauch ick for iebermorjn.

VATER Meintswejn. Aber kommt mir nur nich zu oft. Ick muß ja ooch 'n Happen Fleesch vor de Suppe koofen, sonst schittet ihr se wieder in Milleimer.

BUTTJE *kommt herein* Toag, Voating.

VATER Sieh man, kuck, 'n Hamburjer Zimmermann, da jibt's wenigstens 'n bisken Leben in de Bude.

BUTTJE Allemoal! *Singt* »In Hamburg da bin ich gewesen –«

ZECK Mensch, sei du nur still, dir kenn ick! Det is 'n Wedding-matrose, der is von Hamburg an der Panke, der hat noch keen Troppen Salzwasser jerochen.

BUTTJE Na, und duu? Wat bistn duu?

VATER Zeck, ick warne dir. Wenn's Krakeel gibt, hol ick de Polente.

ZECK Damit kannste mir nich bange machen. Ob ick hier penne oder uff Wache, det is for mir Jacke wie Hose.

VATER Jute Nacht mitsammen, haut eich hin, um sechse heißt's raus zum Suppefassen.

ZECK Jute Nacht, Oller! Wenn ick in mein Strohsack 'n paar Bienen fange, denn heb ick se dir uff, denn kannste ne Imkerei mit ereffnen.

VATER Bei mir jibt et keene Bienen nich, die schleppst du hechstens rin in dein dreckijes Hemde. *Er geht, schließt die Tür von außen.*

ZECK So, nu wolln wa mal. *Zieht eine Schnapsflasche aus der Tasche, tut einen mächtigen Zug. Die andern verteilen sich inzwischen auf die freien Betten.*

ZECK *setzt die Flasche ab, fährt auf Buttje los* Mensch, du hast dir ja zwee Decken jenommen! Wat bildstn du dir eijentlich in!

BUTTJE Ich brauch doch eine für untern Kopp, dat s-teht mir zu!

ZECK So, unter dein Butterkopp willste ne Decke haben, und der Junge da hat gar keene? *Auf Gebweiler deutend, der auf einem Unterbett sitzt* Siehste nich, wie der bibbert?

BUTTJE Wem jeht denn dat nichts an, he? Wem jeht denn dat nichts an?

ZECK *reißt Buttjens zweite Decke weg* Hier, Junge, haste ne Decke. Siehst ja aus wie Keese mit Kalk. Los, stoß dir mal 'n wahren Jakob runter! *Gibt ihm die Flasche.*

GEBWEILER *ein schmächtiger junger Bursche, trinkt einen Schluck, ohne Zeck anzusehen.*

ZECK Der hat ja noch nich mal ne Jacke an. Und janz dinne Drilchhosen, det sind ja Kommißbüchsen, wo hastn die her?

GEBWEILER *wendet sich zur Wand.*

ZECK Na nich, ick muß et ja nich wissen, det jeht mir nischt an.

BUTTJE Dir geht dat überhaupt nichts an, du ausges-puckte S-tintgräte!

ZECK Schnauze!! *Trinkt wieder.*

KALLENBERG Zeck! Kannst mir nich forn Sechser Schnaps ablassen?

ZECK Nee, ick vakoofe keen Schnaps, da mußte bei Jeroldn jehn.

KALLENBERG Denn laß mir man umsonst, mir's flau.

ZECK Ausjeschlossen. Du bist mir nich sympathisch.

KALLE Der is wohl hier der liebe Jott, is der wohl hier.

ZECK *trinkend zu den andern* Ick hab 'n preißischen Wahlspruch: suhm kwickwe, det heißt uff deitsch: jedem det Seine, mir det mehrste. Wer is hier Skatspieler?

JUPP *im Aachener Tonfall* Aech. Aech speel awwer nor um Goldstöckelcher.

ZECK Det is mein Mann, wo is der dritte?

ZWEI ANDRE *kommen dazu.*

ZECK So is recht. 't Spiel verdirbt 'n Charakter. Man ran an Speck.

Sie setzen sich im Hintergrund. Zeck mischt die Karten. Während des Folgenden in Abständen die halbblauten Redensarten und Sprüche der Skatspieler »Raus mit de Mutter in die Frühlingsluft!« – »Passe!« – »Oller Mauerkopp!« – »Pikus der Waldspecht!« – »Der hat ausjelitten!« – »Bitte, wat liecht, liecht!« – »Den haste jesehn!« – »Jespielt wie ne jesengte Sau!« – »Jejn Misthaufen kannste nich anstinken!« – *und so weiter, dazu Kartenklopfen, Mischen, leises Pfeifen.*

VOIGT UND KALLE *sitzen im Vordergrund auf einer Bettstelle.*

KALLE *wickelt einen Harzerkäse und ein kleines Stück Brot aus einem Sacktuch* Wolln ma Fettlebe machen. Hier, hastn halben Harzer, knie dir rin.

VOIGT Nee, Kalle, iß man alleene. Ick hab keen Hunger.

KALLE *essend* Dir steckt wat in de Neese, Mensch, det seh'ck dir doch an. Willem, det lange Popeln hat keen Zweck. Wennste 'n Ding im Hals hast, denn hustet ma raus. Ick wer dichthalten, det weeßte.

VOIGT Wennste mitmachst, Kalle, denn wär det 'n Masseltopp. Alleene komm ick nich rin.

KALLE *rückt dicht zu ihm* Wat denn? Wo denn? Steckt Pinkepinke drin?

VOIGT In Potsdam, int Polizeirevier, da hat det Fenster keen Gitter und jeht nachn Hof, da is keene Wache nachts. Man mißte erst ieber de Mauer, det jeht zu zweit, und denn brauchste nur de Scheibe einzudricken. De Aktenschränke ham jewöhnliche Schlösser, die knackste mitn jebogenen Zimmernagel.

KALLE *enttäuscht* Wat willstn in Potsdam auft Polizeirevier? Da is doch nischt zu holen.

VOIGT Kalle, da hamse mein janzes Vorleben in de Personalakten, da brauch ick nur uffzuschlagen unter Vau. Ick wollte mir da anmelden, da hamse alles einjefordert: de Jerichtsurteile und de Zuchthausentlassung und de janzen Polizeiberichte, det brauch ick nur in Ofen zu stecken, denn is et wech.

KALLE Plemplem, Willem, wat?

VOIGT Nee, Mensch, det hab ick scharf ausbaldowert, da hamse ooch 'n janzen Schrank voll Paßjeschichten, da hamse richtige scheene Pässe hamse da ze liegen, zum Überschreiben oder Verlängern, und 'n Dienststempel und Stempelmarken und Stempelpapier, da findste alles, watste zum Leben brauchst.

KALLE Is da ooch ne Kasse in?

VOIGT Jewiß doch, Mensch, da wird ooch ne Kasse sind, freilich is da ne Kasse, da is doch ooch 'n Jerichtsvollzieher und ne Jemeindesteuer bei.

KALLE Wenn keene Kasse is, denn mach ick nich mit.

VOIGT De Kasse, die kannste janz alleene behalten, da will ick nischt von haben als 'n Billett an de behmische Grenze, det kost nich ville.

KALLE Ick muß mir dat ieberlejen. Wenn keene Kasse is –

VOIGT Natierlich is da ne Kasse. Und 'n janzer Schrank voll Formulare. Und de janzen Personalpapiere. Da mach ick Schluß mit. Denn bin ick jestorben. Und denn mach ick rieber, da jibt et ne Menge Schuhfabriken, in Prag und in Budweis, weeßte –

KALLE Wenn da ne Kasse is, denn kennt man drieber reden.

VOIGT Da wird keene Kasse sind! In Potsdam! Det is 'n reiches Nest. Is doch uff jede Polizei, ne Kasse.

KALLE Man kennt ja mal rinkieken. Da kann ja nich viel passieren bei.

VOIGT Denn hätt ick 'n Paß – und denn fang ick janz von vorne an –

44

Von ferne hört man das Kasernensignal: »Zu Bett!«

BUTTJE Jetzt müssen de Hämmel in S-tall. *Singt auf die Melodie des Signals*

> »Beim Mädchen steht der Musketier,
> Und mechte noch eenmal mit ihr,
> Zu spät, zu spät, zu spät. «

ZECK Laß det Jegröle sind, det stört mir bei de Kopparbeet. Nulluwehr!
Erregung bei den Spielern.

BUTTJE Ich kann hier singen, wenn ich singen will! Dat hat mir kein Mensch nich zu verbieten. Wer keine Musik nich liebt, dat is 'n schlechter Mensch und soll sich de Ohren abschneiden. *Singt* »So foahren wir, so foahren wir, wohl auf der blauen Säi –«

ZECK Mensch, wennste de Musik nich halten kannst, denn heirat ne Engroswarenhausbesitzerstochter und laß dir in Jrunewald 'n Musiksalong inrichten. Hier hältste de Schnauze, sonst wer'ck dir mal de Vorderfront verschalen, oller Zimmermann.

BUTTJE Nur man tau, du hast wol lang keine Backzähne mehr geschluckt.
Er hört aber vorsichtshalber zu singen auf, nimmt die Mundharmonika aus der Tasche, klopft sie aus, spielt.

JUPP Där is bein lieben Jott, dein Nulluwähr.

ZECK Scheibe links. Schon wieder valoren. Jupp, du nimmst mich meine letzten Hosenkneppe ab. Dazu kommste nach Berlin, wat?

JUPP Du spielst wie 'n Jäck, Junge. *Mischt.*

ZECK Sag ma, Mensch, wat suchste eijentlich wirklich hier in 'n Rabattentreterbatalljon? Du bist doch 'n Bergmann, warum jehste nich int Schwarze Revier?

JUPP In Bärchbau, da hänn ich kein jute Ruf. Ich hanne mal 'n Obersteijer afjebaut.

ZECK Wie hastn det jemacht, erzähl ma!

JUPP Da is jarnix zu verzälle bei. Dat war so ne fiese Möpp, immer 'n Herrn Inschenier und 'n Herrn Direktor int Blasrohr jekrochen und 'n Kumpel aufn Kopp jespuckt, so einer war dat.

ZECK Die Sorte kenn wa. Na weiter.

JUPP Auf mech hat er's besonders scharf jehätt, ech ben em emmer offjefalle. Jupp, din Latern is nich jeputzt, Jupp, din Leder is nich jewasche, Jupp, din Hammer hat Rost anjesetzt. Dat hänn ich mir nu 'n paar Jahre anjehört, dann is mir dat Fädche jerisse. An 'n Montagmorjen fahr ich ein, da kömmt er mir entgegen und hätt 'n Sonntag noch nich ausjeschlafe. Jupp, du hast mich nich jegrüßt, schnauzt er mich an. Nä, sag ich, dat mach ick auch näch, da biste mir viel zu fies for. Leder vom Kopp, schreit er, oder ich wer Sie zur Mäldung brenge! Da han ich min Braunkohlenspitzhack hochjenomme und hännem 'n Scheitel jezoge.

ZECK Jeschieht en janz recht, son Dreckhammel.

JUPP Och, dat war 'n janz feiner Minsch, der hat jeden Sonntag 'n steifen Kragen umjebunde.

ZECK Wat hasten jekriegt?

JUPP Dat war in Effekt, verstehste, da konnten se mir nich viel mache. Un de Jenossen han alle jut ausjesagt. Die paar Jahr han ich auf de linke Backe afjesesse. Aber in Bärchbau, da bin ich nich jut anjeschriebe seit der Zeit.

ZECK Prost, Jupp, bist 'n Aas uff de Geije, heb man een. *Gibt ihm die Flasche.*

JUPP Schippe is Trump, raus mit de wilde Katz! *Spielt aus.*

KALLE Wennste meinst, Willem, denn kenntn wa morjn uff de Nacht riebermachen. 'n Browwing hab ick ooch.

VOIGT Den laß mal zu Hause. Wo hast 'n ieberhaupt her?

KALLE Ick hab 'n besseren Herrn in de Tasche jegriffen, ick dachte, es wär 'n Portmanneh. Aber det war ooch 'n Griff. *Läßt den Revolver sehn* Siehste? Da richtige kleene Hosenknipser. Is noch jeladen.

VOIGT Da brauch wa keen Revolver zu, is ja keene Wache da. Laß den mal wech. Wenn's schief jeht, und du hast ne Waffe, denn biste verratzt.

KALLE Glaubste denn, daß de Kiste brenzelt?

VOIGT Nee, nee, da kann nischt passieren bei. Ick meine nur so. Man soll 'n lieben Gott nich in de Nase kitzeln, sonst niest er.

KALLE Wolln de Sache mal beschlafen.

VOIGT Ich kann jar nich mehr pennen, Kalle. Mir jeht det immer in Kopp rum. Un denn hör ick ooch immer –

KALLE Wat hörste?

VOIGT Trommeln. Un Glocken, weeßte. Manchmal janz hell, wie wenn 'n Glas springt. Un denn rauscht et wieder, als wennste an sone Muschel horchst.

KALLE Det kommt von Ohrenschmalz, Willem. Du mußt dir mal mitn Finger voll Spucke in de Leffel fahren.

VOIGT In Einzelzelle, da ha'ck nachts immer det Ohr an de Mauersteine jelegt. Erst war lange nichts – denn kam son janz leises rieselijes Knistern, janz von innen ausn Stein raus. Da hab ick mir jesagt: jetzt wächst er wieder.

KALLE Wer, der Bohrwurm oder dein Piepmatz in Kopp, wat?

VOIGT Der Stein, Kalle! Det verstehste nich, da biste noch zu kleen vor. Du denkst noch, wat jebaut is, dat hält, und wat fest is, det bleibt ooch fest. Nee, Mensch. Det wächst alles, 'n Stein so gut wie'n Appelkern. Nur geht det nich so rasch, und es merkt ooch keener.

KALLE Is ja Mumpitz. Det de Bartstoppeln wachsen, det merkste, sonst merkste jarnischt.

VOIGT Unter sone große Stadt, mit all ihr Jebumms und Jemäuer, da is ja ooch noch Erde drunter, Sand, Lehm und Wasser, nich? Und in 'n Menschen sein Kopp, da sind Jedanken inne, und Wörter, und denn det Jeträumte, det wird immer mehr, det wächst alles, et weiß nur noch keener, wo det mal hin soll.

KALLE Ick wer mal drieber schlafen, valleicht weeß ick's denn morjn frih.

Er legt sich zurück, zieht sich die Stiefel aus.

VOIGT *lacht leise* Wenn ick 'n Paß habe – und über de Grenze bin – denn mach ick einfach zu Fuß weiter. Da kommt det böhmische Riesenjebirge, det is groß.

47

KALLE *gähnend* Ick jeh nich mehr tippeln. Ick hab immer gleich beese Fieße. Et jeht auch uff Herbst, Willem.

VOIGT In September is immer scheen. Und in de Täler dreschen se det Sommerjetreide aus, da wird noch handjedroschen, da haste leicht wat zu tun, forne Suppe und 'n Happen Brot.

KALLE Son Hundeleben.

VOIGT Sag det nich. Da biste frei, dafür kannste auch mal frieren, und da haste immer 'n Weg vor, und wenn et regnet, denkste, morjn is besser... du – wenn ick erst raus bin –

DER HERBERGSVATER *öffnet plötzlich die Tür, stößt einen Pfiff aus* Kinders, macht mal det Licht aus, et hat schon längst Zapfenstreich jeblasen. Wenn Licht durch de Ritzen fällt, denn kiekt de Patrullje rin. Wenn dunkel is, jehtse vorieber, det is vor manch eenen jemietlicher. *Geht wieder.*

ZECK Mir kann de Patrullje am Abend besuchen. Piek is Trump, raus mitn Daus.

GEBWEILER, *der die ganze Zeit mit dem Gesicht zur Wand auf seiner Bettstelle gelegen hat, fährt plötzlich herum, ganz blaß. Fast schreiend, in elsässischer Mundart* Mach das Licht züe!

ZECK Wieso denn, ick hab et ja grade erst anjestochen. Ohne Latichte kann der Mensch nich Skat spielen. *Haut eine Karte aufs Brett.*

GEBWEILER *heiser verängstigt* Mach das Licht züe! Mach das Licht züe!

ZECK Zieh doch die Decke iebern Kopp, wennste nich pennen kannst.

GEBWEILER *verkriecht sich unter die Decke.*

BUTTJE Son Klöhnbruder! *Steht auf, geht zu Höllhuber, der allein und mißmutig auf einer Kiste sitzt* Sag mal, du bist doch 'n Tiroler, nich wahr, die singen doch so gerne, nich? »Tiroler sind lustig, Tiroler sind froh –«

HÖLLHUBER Loß mi aus. I bün koan Tiroler, i bün Altbayer.

BUTTJE 'n Bayer biste! Na, das is ja dasselbe. Du, hör man zu, ich kann auch wat Bayrisches, gib man acht, dat is bayrisch, hörste? *Singt auf die bekannte Schnadahüpfelmelodie*

»Mein Vata is Budiker,
Budiker bin ick,
Mein Vata proppt de Flaschen,
De Meedekens propp ick!«

Siehste, dat war bayrisch!

HÖLLHUBER *steht auf, haut ihm eine Watschen* Da host boarisch! Saukobfeter Saukobf saukobfeter! Boarisch!! *Setzt sich wutschnaubend.*

BUTTJE *weglaufend* Dat is doch 'n büsken s-tark, so watt!!

ZECK Bravo! Die hat jesessen, Junge, die heb dir man jut uff, die brauchste nich zu vakoofen! *Er lacht brüllend.*

GEBWEILER *unter der Decke wie erstickend* Mach das Licht züe! Se chumme! Se chumme!!

Es pocht an die Tür. Gleich darauf wird sie von außen geöffnet. Der Herbergsvater läßt die Patrouille ein. Totenstille im Raum.

FELDWEBEL Aufstehn! Mal alles von den Betten wegtreten. *Zum Herbergsvater* Papiere in Ordnung?

VATER Det wird schon allens stimmen. Sin lauter Tippelkunden.

FELDWEBEL Wer mal 'n paar Stichproben machen.

BUTTJE *zerrt Gebweiler aus der Decke, mit peinlicher Diensteifrigkeit* Aufs-tehn sollste, hörste nich? Aufs-tehn, aufs-tehn!!

FELDWEBEL *zu Zeck* Paß vorzeigen!

ZECK Jottedoch, den ha'ck vasehntlich aufn Abort liejn lassen.

FELDWEBEL Machense keine Witze. Habense keinen Paß?

ZECK Ick sage ja, aufn Abort muß er liegen, drieben in 'n Strammen Hund, da kennense kieken jehn, wenn er nich rinjefallen is.

FELDWEBEL Wat hamse denn da in der Hand?

ZECK 'n tiptopes Spielchen, wollense ma kiebitzen? *Hält ihm seine Karten hin* Aba nich ausplauschen!

FELDWEBEL Kerl, ich lasse Sie gleich abführen. Habense sonstige Ausweispapiere?

ZECK *greift in seine Tasche* Woll ma sehn. Ach, sieh ma – da is ja mein Paß! *Hält ihm grinsend den Paß hin* Vazeihnse mal, da hatt ick mir jetäuscht.

FELDWEBEL *verlegen* Sie haben's grad nötig. Wenn die Sache nich in Ordnung is, kommense mit auf Wache.

ZECK Da wollt ick schon immer ma hin. Da sollt son juten Schnaps jeben.

FELDWEBEL Seinse still! Ich geb Ihnen gleich 'n Schnaps! *Studiert den Paß.*

BUTTJE *hat inzwischen von Gebweiler abgelassen, der schlotternd im Schatten neben seiner Bettstelle stehenbleibt. Jetzt drängt er sich an den Feldwebel* Hier ist mein Wanderschein, im Polizeipräsidium ges-tempelt.

FELDWEBEL *schiebt ihn beiseite, übersieht rasch die vorgehaltenen Papiere der anderen, sieht Voigt an* Was haben Sie denn da?

VOIGT *gibt ihm ein Papier* Ick hab nur 'n Entlassungsschein aus de Plötze. 'n Paß hamse mir nich ausjestellt.

FELDWEBEL *sieht den Schein* Is gut. Sehnse zu, daß Sie 'n Paß kriegen.

VOIGT Dankscheen. Ick wer's versuchen.

FELDWEBEL Das genügt für heute. Ich bitte mir aus, daß hier jetzt Ruhe herrscht.

VATER Ick wer de Lampen rausnehmen, Herr Feldwebel.

ZECK *dem der Feldwebel seinen Paß zurückgibt* Is was nich in Ordnung, Herr Feldwebel? Det wär mir neemlich sehr unanjenehm.

FELDWEBEL Haltense 'n Rand, sonst nehme ich Sie doch noch mit. Vorwärts marsch.

DER GEFREITE *hat die ganze Zeit Gebweiler angestarrt, der unter dem Blick immer unruhiger wurde* Verzeihen Herr Feldwebel, ich habe eine Beobachtung gemacht.

FELDWEBEL Was denn? Raus damit!

GEFREITER Der Mann in der Ecke – der Mann in der Ecke, das scheint mir der Louis Gebweiler zu sein, der Deserteur, auf den ein Steckbrief ausgehängt is.

FELDWEBEL *geht auf Gebweiler zu.*

GEFREITER Er war ja bei der Sechsten, aber ich hab 'n oft im Kasernenhof gesehn.

FELDWEBEL *sieht Gebweiler scharf an* Sind Sie der Deserteur Gebweiler?

GEBWEILER *gibt keine Antwort.*

FELDWEBEL Papiere vorzeigen!

GEBWEILER *rührt sich nicht.*

FELDWEBEL Kommen Sie mit.

GEBWEILER *in Todesangst* Nein, nein, ich bin das nicht –

GEFREITER Das is er, das is er! Haben Herr Feldwebel gehört, wie er spricht? *Macht ihn nach* Ich bin das nicht! Das is er!

FELDWEBEL Da ham wa ja 'n schönen Fang gemacht. Nehmt den Mann in die Mitte! *Zum Gefreiten* Ich werde Sie morgen beim Appell dem Kompanieführer vorstellen.

GEFREITER *reißt begeistert die Knochen zusammen.*

GEBWEILER Nein, nein, ich bin's nicht, ich will nicht –

FELDWEBEL Faßt 'n an!

DIE SOLDATEN *packen ihn.*

GEBWEILER *kurz aufschreiend* Mamma! *Er verstummt.*

BUTTJE *lacht* Mamma hat er jerufen.

DIE ANDEREN *schweigen.*

FELDWEBEL So 'n blöder Hammel. Warum läuft er wech? Bei uns wird keiner gebissen. Die zwei Jahre sind nur gesund. Da lernt man was, und da kann man auch vorwärtskommen. Jetzt werdense dir die Hammelbeine lang ziehn, kriegst mindestes fünf Jahre Festung und wirst in die zweite Klasse des Soldatenstandes versetzt. Das hättste dir sparen können. Na, is'n Wackes, da is kein Wunder. Die Drilchhose hat er auch noch an. Diebstahl von Heeresgut, das verschärft die Sache. Im Krieg wird so einer glatt an die Wand gestellt.

ALLE *haben seine Rede schweigend angehört. Keiner regt sich.*

FELDWEBEL Na denn, vorwärts marsch! *Nicht ohne Gutmütigkeit* Faßt 'n unter, der kann ja nicht gehn alleine. Zu dumm, son Kerl. Gute Nacht *Ab. Gebweiler zwischen den beiden Soldaten unter Führung des Gefreiten voraus.*

VATER Kinder, det war 'n beeser Schreck, mir is janz kalt in de Knochen. *Er nimmt die Lampen ab* Los, in de Falle, ick muß jetzt duster machen. Der arme Teifel, den hättense können loofen lassen. Is ja noch 'n Kind.

ZECK Vafluchte Lausebande. Wenn's nach mir ginge, ick würde de janzen Kasernen in de Luft sprengen, und de Zuchtheiser, und 'n Reichstach und ieberhaupt allens.

VATER Fluch nich, Zeck, Ordnung muß sind. Jetzt pennt man. *Mit den Lampen ab.*

Es wird dunkel und still.

ZECK *vor sich hin* Vafluchte Lausebande.

VOIGT *im Vordergrund auf dem Bett. Leise* Kalle – Kalle –

KALLE Ja?

VOIGT Kalle, morjn uff Nacht. Du läßt mir nich im Stich, Kalle? Ick muß 'n Paß haben, Kalle, ick muß hier raus.

KALLE *schon im Halbschlaf* Wenn da ne Kasse is – *Er atmet tief.*

VOIGT Kalle – schläfste, Kalle? – Herrgott – wenn ick erst raus bin –

Dunkel.

Siebente Szene

Personen: A. Wormser, Willy Wormser, Wabschke, Obermüller

Wormsers Uniformladen in Potsdam. Willy lehnt am Ladentisch und liest Zeitung. Militärmusik fern, Trommeln und Pfeifen.

HERR WORMSER *kommt aus seinem Büro.*

WILLY *versucht rasch, die Zeitung wegzustecken.*

WORMSER Natürlich, da liest er wieder Zeitung. Mußte immer lesen? Zeig her, was steht drin? Ich sag ja, immer unterm Strich muß er lesen, immer unterm Strich! Les überm Strich, wenn de lesen willst! Les 'n Kurszettel, les de Handelsnachrichten, les de Politik, intressier dich fürs praktische Leben! Was hastn da angestrichen? Gerhart Hauptmann-Premiere im Deutschen Theater, von Alfred Kerr. Was brauchste so was zu lesen, verstehste ja doch nich. Da kuckt ma mal rein, ob's 'n Erfolg war, Hervorrufe und so weiter, dann weiß man, ob man hingeht oder nicht. Grins nich so impertinent, du verstehst von so Sachen auch nich mehr wie dein Vater, bild dir das nur nich ein! Was is denn da schon wieder? *Liest* Potsdam – aufregende Verhaftung im Polizei – ziß ziß ziß ziß ziß, doch e starkes Stick. Da sinse heut nacht in unser Polizeirevier eingebrochen, ausgerechnet bei der Polizei, wollten de Kasse ausheben – ich sag ja, die Kerle sind so frech wie de Schmeißfliegen. Geschossen hamse auch, na, sie hamse wenigstens erwischt. Zwei alte Zuchthäusler natürlich – warum laßt man so Kerle überhaupt wieder raus, wennse nachher einbrechen. Da is was Interessantes – Jagdgesellschaft Seiner Majestät des Kaisers in Rominten – fabelhaft! Sechs regierende Fürstlichkeiten unter den Tischgästen – also bei so was möcht ich mal dabei sein, und wenn's als Kellner wär. Ja, unser Kaiser, der imponiert mer, der Mann hat 'n großen Zug. Da, les die Tischred, die er wieder gehalten hat – da kannste was lernen, das is Stil, das is Geist, da is Schwung drin! Was is denn, Wabschke?

WABSCHKE *ist von der Seite hereingekommen, mit Schlettows Uniform überm Arm* Ick wolltse ins Schaufenster hängen, bis wa mal einen für finden. Wozu ham wa uns nu de janze Arbeit mit de Jesäßkneppe jemacht.

WORMSER Bezahlt war se auch noch nich. Na, jetzt brauch ich wenigstens nich zu mahnen. Schade, der Schlettow – das war 'n ordentlicher Mensch. Hängense mal hin, da die Litewka kann weg, die is nich mehr Mode, die trägt ma jetzt nur noch in Silbergrau.

OBERMÜLLER *tritt ein. Er ist etwa dreißig Jahre alt, gut gewachsen, mit sichtbarer Anlage zur Korpulenz. Zwicker und blondes Schnurrbärtchen geben seinem Gesicht einen etwas besorgten Ausdruck, der auch seine Sprache und seinen Tonfall färbt. Trotzdem hat alles, was er sagt, den ernsten Klang einer wohlfundierten idealistischen Überzeugung. Er trägt die Uniform eines Einjährigen Vizefeldwebels* Guten Morgen, Herr Wormser!

WORMSER Guten Morgen, guten Morgen, Herr Einjähriger – wie war doch rasch der Name –?

OBERMÜLLER Obermüller. Doktor Obermüller aus Köpenick.

WORMSER Richtig, verzeihense, lang nich mehr gesehn, und was wird gebraucht, Herr Doktor?

OBERMÜLLER Nun, es handelt sich diesmal um –

WORMSER *unterbricht* Darf ich raten? Kann ma gratulieren, sin mer so weit? Na, na, kann ich raten? Kann ich raten??

OBERMÜLLER Allerdings. Der Bataillonsadjutant hat mir heute mitgeteilt, daß meine Ernennung zum Leutnant der Reserve soeben erfolgt ist, es kam mir etwas überraschend, ich muß nun sehen, wie ich mit der Equipierung fertig werde. Sie müssen mir da helfen, Herr Wormser –

WORMSER Gemacht, gemacht, aber das sag ich Ihnen gleich, Herr Doktor, gute Arbeit braucht gute Zeit. Sie wollen doch auch was vorstellen in Ihrem neuen Glanz. Nein, das freut mich, das freut mich aber wirklich für Sie. War doch erst Ihre zweite Übung, nich?

OBERMÜLLER Die dritte, Herr Wormser, die dritte. Ich hatte nämlich einige Schwierigkeiten mit dem Schießen, wegen meiner Kurzsichtigkeit. Aber – das hab ich nun Gott sei Dank hinter mir.

WORMSER Recht so. Muß 'n schönes Gefühl sein, wenn man auf einmal mit Herr Leutnant angeredet wird, das schmeichelt den Gehörknöchelchen. Wissen Sie, ich sage immer: vom Gefreiten aufwärts beginnt der Darwinismus. Aber der Mensch, der Mensch fängt erst beim Leutnant an, is nich so, is nich so?

OBERMÜLLER Das möchte ich nicht gerade behaupten – aber – für meine Laufbahn ist es natürlich außerordentlich wertvoll. Ich brauche die Uniform wirklich besonders eilig, Herr Wormser, ich –

WORMSER Wabschke, holense 's Maßbuch. Sie sind doch Staatsbeamter, Herr Leutnant, nich?

OBERMÜLLER Meine Mutter kommt nämlich zu Besuch, sie legt besonderen Wert drauf, sie ist ja aus einer Offiziersfamilie. Ich? Kommunalbeamter, Herr Wormser. Nun ja, ich wollte eigentlich in die Politik gehn – ich hätte mir vorgestellt, als Nationalökonom, etwa im Rahmen der Fortschrittlichen

Volkspartei, für das Gemeinwohl zu wirken – vor allem schriftstellerisch – aber – dazu gehören Mittel.

WORMSER Beamter is auch immer sehr schön.

OBERMÜLLER Gewiß doch, man kann gut vorwärtskommen – ich bin jetzt schon im Köpenicker Stadtmagistrat; wenn ich Glück habe, kann ich mal Bürgermeister von Köpenick werden – *Mit leisem Lächeln* – so was ist natürlich auch eine Wirksamkeit zum Wohle des Volksganzen.

WORMSER Na, zum Reserveleutnant hamse's ja schon gebracht, das is die Hauptsache, das muß man sein heutzutage – gesellschaftlich – beruflich – in jeder Beziehung! Der Doktor ist die Visitenkarte, der Reserveoffizier ist die offene Tür, das sin die Grundlagen, das is mal so!

WABSCHKE Da beißt de Maus keen Faden ab.

WORMSER Seinse still, Wabschke, Sie sind nich gefragt. Wissense was, Herr Leutnant, da fällt mir was ein, ich hätt was für Sie – wennse's so eilig haben – schlupfense mal in den Rock rein! Der müßt Ihnen grad passen! *Nimmt Schlettows Uniform von der Stange.*

OBERMÜLLER Das ist ja ein Hauptmannsrock, so weit sind wir noch nicht, Herr Wormser! *Lacht.*

WORMSER Kommt noch, kommt noch! Wir müßten nur 'n paar kleine Änderungen machen, und andere Achselstücke, denn is de Sache bong. Knöpfense mal zu, Wabschke.

WABSCHKE Sitzt, als wär er for Ihnen zujeschnitten. Nur um de Hüften 'n bisken knapp.

OBERMÜLLER Ja, ich habe etwas starke Hüften, das ist eine Berufskrankheit sozusagen, das macht die sitzende Lebensweise.

WORMSER Ich wer Ihnen mal was sagen. Die Uniform nehmense. Ne neue dauert acht Tage, drunter is nich zu machen. Und überhaupt, es kost Sie billiger, und sie is noch gar nich getragen, funkelnagelneu, ich habe se in Kommission übernommen, der Herr hat quittieren müssen – *Senkt die Stimme* – habense nichts von dem skandalösen Vorfall gehört – »cherchez la femme«, natürlich.

OBERMÜLLER Nein, danke, ich interessiere mich gar nicht für Skandalaffären. Im Munde der Öffentlichkeit werden solche Dinge doch immer entstellt.

WORMSER Meine Rede, Herr Leutnant, meine Rede! Was sag ich immer! Nur kein Klatsch, nur kein Geschwätz, die Hälfte is gelogen, die andre Hälfte geht mich nichts an. Bei uns wird so viel ins Geschäft getragen – da hör ich einfach gar nich zu. Na, schaunse mal in Spiegel, wie gefallense sich als Offizier?

OBERMÜLLER Nicht übel! Nicht übel! *Tritt etwas zurück, nimmt den Zwicker ab, besieht sich von oben bis unten* Kleider machen Leute, da ist nun doch was Wahres dran. So ne Uniform hebt entschieden – es geht ein gewisser Zauber von ihr aus –

WORMSER *macht indessen hinten ein paar Kreidestriche* Sehnse, Wabschke, hier – und da – un da – das is ne Kleinigkeit. Ja ja, da sieht ma, was ma wert is, Herr Leutnant, nich? Das Schöne is, daß man was geworden is, was nich jeder werden kann, das macht Spaß! Gebense mal de Stecknadeln, Wabschke!

OBERMÜLLER Umgekehrt, lieber Herr Wormser, grad umgekehrt! Das Große ist bei uns die Idee des Volksheeres, in dem jeder Mann den Platz einnimmt, der ihm in der sozialen Struktur der Volksgemeinschaft zukommt. Freie Bahn dem Tüchtigen! Das ist die deutsche Devise! Die Idee der individuellen Freiheit verschmilzt bei uns mit der konstitutionellen Idee zu einem entwicklungsfähigen Ganzen. Das System ist monarchisch – aber wir l e b e n – angewandte Demokratie! Das ist meine Überzeugung!

WORMSER Sicher, sicher, das will ich meinen, bei uns is mehr Freiheit wie in soner Republik, da könnten se all was lernen von. So, jetzt is alles in Ordnung. Also mit der Uniform habense Glück gehabt, Herr Leutnant.

OBERMÜLLER Nun ja, wenn's rascher geht – ich hätte mir natürlich lieber eine neue – aber – der Eile halber –

WORMSER Sie könnense morgen fertig anziehn. Dann nehm wir gleich Offizierskoppel zum Unterschnallen, Bandelier,

Degen, Mütze, Helm, wie is Ihre Koppnummer, Herr Leutnant?

OBERMÜLLER Neunundfünfzig. Ich habe einen ziemlich ausgebildeten Schädel.

WORMSER Da is auch was drin! Willy, helf'm Herrn Leutnant in sein Rock, sei e bißje gefällig.

Militärmarsch, Blechmusik, näherkommend.

WORMSER Prachtvoll, son alter Preußenmarsch, was? Das reißt ein'n hoch, das geht ein'n in de Knochen!

WABSCHKE Da kann 'n Laubfrosch Polka tanzen lernen.

WORMSER Seinse ruhig, Wabschke, Sie sind unmusikalisch. Also nochmals meinen herzlichsten Glückwunsch, Herr Leutnant, es hat mich sehr gefreut.

OBERMÜLLER Danke, danke sehr, Herr Wormser.

WORMSER Sagen wir, morgen um dieselbe Zeit is alles fertig. Is recht?

OBERMÜLLER Das ist mir sehr lieb, Herr Wormser, meine Mutter kommt nämlich morgen zu Besuch, ich habe ihr depeschiert, da möchte ich natürlich gern –

WORMSER In Uniform – freilich, selbstverständlich! Die Frau Mutter wird e Freud haben an son strammen Leutnant!

OBERMÜLLER Ja ja – meine Mutter legt nämlich großen Wert – auf Wiedersehn, auf Wiedersehn, Herr Wormser!

WORMSER Auf Wiedersehn, Herr Leutnant, auf Wiedersehn!

Komplimentiert ihn bis zur Tür.

OBERMÜLLER *ab.*

WORMSER Der hat's geschafft. Was heutzutag nich alles Offizier wird! Nemm dir e Beispiel, Willy!

Dunkel, Militärmarsch, nah, mächtig.

Zweiter Akt

Achte Szene

Personen: Zuchthausdirektor, Anstaltsgeistlicher, Aufseher, Sträflinge, darunter Wilhelm Voigt

Die Zuchthauskapelle in der preußischen Strafanstalt Sonnenburg. Sie gleicht einem nüchternen Vortragssaal mit erhöhtem Podium. Die einzelnen Sitze für die Sträflinge sind durch hohe Rücklehnen und gleich hohe Seitenwände voneinander getrennt, so daß jeder für sich allein in einem nach vorne offenen Holzkasten sitzt. Vergitterte Fenster. Wachen rechts und links am Ausgang. Die Aufseher sitzen abgesondert auf Stühlen.

DER ANSTALTSGEISTLICHE *steht auf dem Podium, dirigiert.*
DIE GEFANGENEN *stehend, mit Gesangbüchern in der Hand, singen den Choral*

> »Bis hierher hat uns Gott geführt
> In seiner großen Güte –«

DER GEISTLICHE *nach Schluß der Strophe* Genug für heute. Gesangbücher einsammeln.
DIE AUFSEHER *sammeln ein.*
GEISTLICHER An Stelle einer Predigt wird heute zur Feier des vierzigsten Jahrestages unseres großen Sieges bei Sedan der Herr Direktor persönlich eine Stunde vaterländischen Unterricht abhalten.
EIN STRÄFLING *unsichtbar* Ahh –!
GEISTLICHER Wer war das? Nun, ich will annehmen, daß dies ein Laut aufrichtiger Freude war. Ihr wißt alle, wie viele Bevorzugungen und Erleichterungen ihr der Güte eures Direktors zu verdanken habt. Benehmt euch darnach. Hinsetzen. *Er geht.*

DIE GEFANGENEN *setzen sich.*

DIREKTOR *tritt ein. Die Gefangenen springen auf. Der Direktor ist ein würdiger Herr mit langem, grauem, in der Mitte zwiegeteiltem Bart. Über dem Bart ein rundes, rosig freundliches Gesicht mit glänzender, glatter Stirn. Er trägt einen grauen Anzug mit langen Rockschößen* Guten Morgen, Leute!

DIE GEFANGENEN *brüllen* Guten Morgen, Herr Direktor!

DIREKTOR *auf dem Podium* Abzählen!

DIE GEFANGENEN *zählen auf militärische Weise ab, von 1 bis 30.*

DIREKTOR Recht so! Das klappt schon ganz vorzüglich. Eins bis sieben Kavallerie, acht bis zwölf Artillerie, dreizehn bis vierundzwanzig Infanterie, der Rest Genietruppen, Train und Sanität. Setzt euch!

DIE GEFANGENEN *setzen sich.*

DIREKTOR Wie ihr wißt, schreiben wir heute den zweiten September. Da fällt mir übrigens ein, morgen, am dritten September, findet doch eine Entlassung statt. Wer ist das gleich?

VOIGT *steht auf.*

DIREKTOR Ah, Sie sind das, Voigt, nicht wahr?

VOIGT Jawohl, Herr Direktor.

DIREKTOR Wie lange waren Sie jetzt bei uns?

VOIGT Zehn Jahre, Herr Direktor.

DIREKTOR Weswegen sind Sie eigentlich hergekommen?

VOIGT Wegen Einbruch ins Potsdamer Polizeirevier. Ick wollte mir da –

DIREKTOR Ja, richtig. Nun, lieber Freund, Sie haben sich durch eine untadelige Führung und durch Ihre Arbeitsamkeit die Schätzung Ihrer Vorgesetzten erworben. Hoffen wir, daß – aber darüber wollen wir uns morgen noch unterhalten, nicht wahr?

VOIGT Gern, Herr Direktor.

EIN AUFSEHER *springt in diesem Moment in eine der hinteren Reihen* Hände ruff! Hände ruff! So, dich hätten wa.

DIREKTOR Was ist denn los, was soll denn das heißen?

AUFSEHER Da hinten hamse wieder jeschmuggelt. Ick habse schon de janze Zeit heimlich im Auge jehabt.

DIREKTOR *tadelnd* Das hätte ich am heutigen Tage nicht erwartet. Was haben sie denn da?

AUFSEHER Hier, 'n Viertel Kantinenwurst hat er gegen zehn Zigaretten einjetauscht, und im Ärmel hat er 'n Kassiber stekken.

DIREKTOR Einen Kassiber? Was steht denn drin?

AUFSEHER Nichts. Is nur gezeichnet.

DIREKTOR Zeigen Sie mal her.

AUFSEHER Verzeihung, Herr Direktor. Schweinerei.

DIREKTOR Schämen Sie sich. Das will ich gar nicht sehen. *Er zerknüllt den Kassiber, steckt ihn in die Tasche* Die Zigaretten werden beschlagnahmt. Sie ahnen ja gar nicht, wie Sie mit solchem Gift Ihre Gesundheit schädigen. Ich rauche überhaupt nicht. Die Wurst mag er behalten, aber zum Essen, nicht zum Tauschhandel!

AUFSEHER *gibt dem Gefangenen die Wurst zurück* Hier, steck se in.

DIREKTOR Stecken Sie sie ein. Sie wissen, ich lege Wert darauf, daß die Anstaltsinsassen immer mit Sie angeredet werden.

AUFSEHER Pardong, Herr Direktor, det hatt ick nur verschluckt.

DIREKTOR Also wir haben uns hier zusammengefunden zur Feier des zweiten September, des Sedantags. Sechzig Millionen deutsche Herzen schlagen höher bei dem Gedanken, daß heute vor vierzig Jahren unser glorreiches Heer auf blutiger Walstatt den entscheidenden Sieg errang, der uns erst zu dem gemacht hat, was wir sind. Viele unserer Mitbürger gedenken heute in stolzer Freude eines ihrer Anverwandten, der diesen Sieg mit erringen half. Auch ich hatte, wie ihr wißt, das unvergeßliche Glück, als junger Kriegsfreiwilliger an diesem großen Tage vor dem Feind zu stehen. Dieses höchste Glück, einen Krieg fürs Vaterland mitzumachen, kann natürlich nicht jeder Generation beschieden sein. Auch diejenigen, welche in den Zwischenzeiten in friedlicher Arbeit ihrer Heimat dienen, erfüllen eine hohe Mission. Vor allem hat die segensreiche Einrichtung der allgemeinen Wehrpflicht unsrem Volke in seinem stehenden Heer eine lebendige Kraft geschaffen, die auch in Friedenszeiten unsre sittliche Festigkeit und unsre körperliche und geistige Gesundheit gewährleistet. Vielen von euch war es leider durch frühe Schicksalsschläge versagt, diesem Heer anzugehören und, Schulter an Schulter mit fröhlichen Kameraden, im Wehrverband zu stehen. Was euch dadurch an hohen Werten verlorengegangen ist, habe ich immer nach besten Kräften mich bemüht, euch hier an der Stätte neuer Erziehung und neuer Wegweisung, soweit es angängig ist, zu ersetzen. Manch einer, der vor Antritt des Strafvollzugs noch keinen Unteroffizier von einem General unterscheiden konnte, verläßt die Anstalt als ein zwar ungedienter, aber mit dem Wesen und der Disziplin unserer deutschen Armee hinlänglich vertrauter Mann. Und das wird ihn befähigen, auch im zivilen Leben, so schwer es anfangs sein mag, wieder seinen Mann zu stellen. Kommen wir wieder auf den historischen Anlaß unserer heutigen Feier zurück. Wie ihr wißt, war es mir persönlich vergönnt, an der Erstürmung der außerordentlich wichtigen Höhe 101 teilzunehmen, eine Aktion, welche zwar nicht die Entscheidung herbeiführte, aber immerhin dazu beitrug. General der Infanterie von der Tann stand mit nur drei kriegsstarken Divisionen einer Übermacht von vier feindlichen Armeekorps unter Führung des französischen Generals Boulanger gegenüber. Unterstützt wurde unsere Aktion durch die Artillerie des dritten Korps und die erste bayrische Kavalleriedivision unter Generalleutnant Fürst Donnersmarck. – Über die Stärke und Einteilung der verschiedenen Truppenverbände seid ihr euch hoffentlich noch im klaren. Wie ist die Gliederung eines Armeekorps beschaffen? – Bulcke!

BULCKE *ein langer Kerl mit riesigen Händen, leiert herunter* Ein Armeekorps besteht aus zwei Infanteriedivisionen, die Division zu je zwei Brigaden Infanterie, einer Kavallerie- und einer Artilleriebrigade. Die Brigade besteht aus –

DIREKTOR Danke, na, Sie waren Soldat, das merkt man. Aus wieviel Kompanien besteht ein kriegsstarkes Infanterieregiment? – Pudritzki!

PUDRITZKI *klein, mit sehr starkem Stoppelwuchs und polnischem Akzent* Is sich – ise sich verschiddn, Härr Drrektrr.

DIREKTOR Unsinn! Sie lernen's nie, setzen Sie sich. Wer weiß es?

VOIGT *meldet sich unter anderen.*

DIREKTOR Gut, Voigt, Sie brauchen es nicht zu sagen, ich will Ihnen eine schwerere Frage stellen. Was versteht man unter einer Kavalleriedivision?

VOIGT *klar, ohne zu stocken* Eine Kavalleriedivision ist eine selbständige Formation, welche direkt der Armee unterstellt ist und über deren Einsatz das Armeeoberkommando je nach der Lage verfügt. Sie besteht aus drei, manchmal vier Kavallerieregimentern, denen eine Abteilung berittener Feldartillerie zur Unterstützung beigegeben ist.

DIREKTOR Bravo, Voigt! Sehr gut der Voigt! Sie haben hier ordentlich aufgepaßt und auch was gelernt. Sie werden sehen, daß es Ihnen im späteren Leben einmal von Nutzen sein wird. Treten Sie mal heraus, Sie übernehmen die Führung der Sturmregimenter, es ist ja heute das letztemal, daß Sie an unserer Übung teilnehmen. Aufseher Lorenz, teilen Sie sechs Mann ein, zwei von jeder Haupttruppengattung, die Pioniere und die Etappe brauchen wir erst später, beim Vormarsch.

AUFSEHER *ziemlich barsch* Los, eins, zwei, eins, zwei, eins, zwei, raustreten!

DIREKTOR Hier herauf, aufs Podium, damit alle sehen können. Bulcke, Sie markieren die bayrische Kavalleriedivision. Voigt mehr nach vorne, diese beiden stehen hinter Ihnen, die stellen das zweite und das dritte westpreußische Grenadierregiment dar. Nein, mehr rüber, hier ist eine Bodenfalte, rechts davon ein Sumpf. Die Artillerie unterhalb des Podiums in Deckung gehen, so ist's recht, ducken, ducken. Ihr tretet erst in Erscheinung, nachdem der erste Kavallerieangriff zurückgeschlagen ist. Da, wo ich stehe, ist die Hauptmacht des Feindes zu denken, und dieser Stuhl markiert die Höhe 101. Es ist elf Uhr vormittags, gradeaus im Gelände erkennen wir eine Windmühle, dahinter steigt ein weißes Wölkchen auf. Was bedeutet das, Bulcke?

BULCKE Schlecht Wetter, Herr Direktor.

DIREKTOR Aber Bulcke, von Ihnen hätte ich eine andre Antwort erwartet! Es handelt sich natürlich um das Mündungsfeuer feindlicher Artillerie.

BULCKE Verzeihung, Herr Direktor, Se hatten das letztemal jesagt, daß es um elfe an zu trippeln fing, und da hatt ick nu jemeint –

DIREKTOR Richtig, Bulcke, das macht die Sache wieder gut, ich wußte doch, daß Sie aufpassen. Ein vorübergehender leichter Strichregen hat die Sicht etwas erschwert. Aber gegen Mittag hellt es sich wieder auf. Während nun die Kavallerie in leichtem Trab in Richtung auf die Windmühle zu vorrückt – los, los – nein, mehr hier rüber, Sie kommen ja mit Ihrem rechten Flügel in Sumpfgelände! – was tun Sie da, Voigt?

VOIGT Ick halte mir bereit und lasse auf alle Fälle mal ein Regiment ausschwärmen. Das Kommando gebe ich durch meinen Stabstrompeter. *Er ahmt das betreffende Signal nach.*

DIREKTOR Bravo, Voigt! Sie erfassen die militärische Situation, als wären Sie selbst dabeigewesen. Wo haben Sie das nur her?

VOIGT Det hat 'n Preuße im Blut, Herr Direktor. *Wendet sich zu seinem Hintermann* In Gruppen rechts schwenkt – marsch! Grade – aus!! Ohne Tritt – marsch!

DIREKTOR Nanu, was is denn, wo lassen Sie denn den Mann hinmarschieren?

VOIGT Das is det zweite Regiment, Herr Direktor, det is jetzt in Reserve, da laß ick's inzwischen an de Feldkiche marschieren. Wenn die ihre Suppe drin haben, denn sindse nachher frisch.

DIREKTOR Hervorragend, Voigt! Beispielgebend! *Zu den andern* Das ist diejenige denkende Selbständigkeit des Unterführers, die im Ernstfall benötigt wird. Ein Jammer, daß es zu spät ist, Voigt! Sie sind der geborene Soldat, trotz Ihrer

O–Beine. Aber jetzt setzt sich die Kavallerie in Galopp und geht zur Attacke über! Vorwärts marsch!

BULCKE UND DIE ANDERN *stürmen los* Hurra! Hurra!
Dunkel.

Neunte Szene

Personen: Frau Hoprecht, Friedrich Hoprecht, Wilhelm Voigt

Die Wohnstube bei Hoprechts in Rixdorf. Bürgerliche Einrichtung mit Sofa, Spiegel, Öldruckbildern, Kalender, Gasbeleuchtung. Zwei Türen, eine zum Gang, eine zum Schlafzimmer. Frau Hoprecht, stehend, hat einen Uniformrock mit Unteroffizierstressen überm Bügel an die Schranktür gehängt, zieht die Messingknöpfe in die Knopfgabel ein und bearbeitet sie mit einem putzmittelgetränkten Lappen. Wilhelm Voigt sitzt am Tisch, Hut und verschnürtes Paket auf den Knien, vor einer Tasse Kaffee. Er ist gekleidet wie früher.

FRAU HOPRECHT Na, Willem, nu leg man dein Hut un dein Paket wech, und fühl dir 'n bißken zu Hause. Viel könn wir dir nich bieten, du mußt halt vorliebnehmen mit dem, wie's is.

VOIGT Danke, Mariechen. Der Kaffee schmeckt scheen.

FRAU HOPRECHT Haste auch Zucker jenommen? Nimm nur orntlich Zucker, et sin ja nich viele Bohnen drin, es is ja nu alles recht schwer. Friedrichens Gehalt jeht grade in die Wirtschaft rein, und mein Seifenjeschäft wirft kaum de Kosten ab, in Rixdorf sin se mit Seife sparsam, und jede Drogerie und jeder Frisör is heut ne Konkurrenz, et is ja nu leider gar kein Schutz auf Seife.

VOIGT Mariechen, nich daß de meinst, ick mechte eich zur Last fallen, nich? Ick wollte dir ja nur mal guten Tach sagen. Ick wer nu mal wieder gehn.

FRAU HOPRECHT Ausjeschlossen. Willem, das darfste mir nich antun, da wird mir mein Mann schön ausschimpfen, wird er mir, wenn ich mein einzijen Bruder gleich wieder wechlaufen lasse, daß er ihn nich mal kennenlernt.

64

VOIGT Da wird er nu wenig Freude von haben, glaubste nich?

FRAU HOPRECHT Willem, sag so was nich, du kennst'n nich. Der
Mann is die Güte selber, das is er, der kann keine Fliege ins
Spinnweb zappeln sehn. Jewiß, auf sein Magistrat, wo er in
Amt is, da kann er auch mal enerjisch werden, da is er sehr
streng drin, er is nu überhaupt 'n Feind von jede Unregelmä-
ßigkeit, das kann er nich vertragen. Aber nee, Willem, das
darfste nich falsch auffassen, außern Amt is der Mann die
Güte selber, der hat das Herz aufm rechten Fleck, sag ich dir!

VOIGT Ick hab mir's lange überlegt – ob ick rauf soll – ick war
auch schon 'n paarmal drunten vors Haus.

FRAU HOPRECHT Siehste, Willem, et is überhaupt ne Schande,
daß de früher nie den Weg zu deine Schwester jefunden hast,
wer weiß, vielleicht wär denn alles anders jekommen.

VOIGT Früher – da hätt ick hier nich rinjepaßt, Marie. Ick hab
mir auch nich jetraut. – Aber jetzt . . .

FRAU HOPRECHT Nee, das war nich recht, Willem, daß de dir nie
hast sehn lassen. Und wenn de mal geschrieben hättest, wenn
wir nur jewußt hätten, in welcher Strafanstalt daß de bist,
denn hätt ick dir mal 'n Weihnachtspaket jeschickt.

VOIGT Das is scheen von dir..

FRAU HOPRECHT Na natierlich, man is doch Jeschwister. Also
erkannt hätt ich dir ja nich. Det is nu auch her – wart mal, da
war'ck ja noch 'n Kind! Nee, wenn ick denke, wie Mutter
jestorben is . . .

VOIGT Nich von Muttern, bittscheen.

FRAU HOPRECHT Nee, nee, Willem, wenn de nich willst. Ick
dachte nur, du mechtest nu gern mal wat hören von.

VOIGT *schüttelt den Kopf.*

FRAU HOPRECHT Nu muß er gleich kommen, se haben heute
schon um halber sechse Schluß, das heißt nur die, wat Reservisten oder Landwehr sind und morjn zum Kaisermanöver
auf Übung in de Kaserne müssen. Da heißt es nämlich schon
um viere früh antreten.

VOIGT Is das ne freiwillige Übung?

FRAU HOPRECHT Natürlich! Er wär ja überhaupt lieber Militäranwärter jeblieben, aber damals haben wir von Tante den Laden geerbt und dachten, da sieht mehr raus bei. Nee, wenn er nich manchmal ne Übung hätte, ich glaube, denn wär der Mann verkümmert. Das is für ihn det einzige! Sonst hat er ja nichts, mal 'n Kegelabend, mal de Pfeife, hechstens mal 'n Glas Bier, solid wie er is.

VOIGT Da hastet ja gut getroffen, Marie.

FRAU HOPRECHT Da haste recht, Willem, für den Mann, da kann ick froh für sein. Et müßte nur alles 'n bißken besser gehen, weißte, es geht ja ganz gut, es is nur alles 'n bißken schwierig.

VOIGT *sieht sich um* Jemütlich is hier...

FRAU HOPRECHT Die Decke müßte jeweißt werden und der Boden jestrichen, und in Teppich waren de Motten drin, man hat nur kein Geld übrig.

VOIGT Mir kommt det alles vor – wie neu.

FRAU HOPRECHT Det biste nich mehr jewöhnt, Willem. So, jetzt sindse aber blank.

VOIGT Da kann er sich bei Mondschein rasieren drin, braucht er keen Spiegel mitnehmen.

FRAU HOPRECHT Et is nämlich diesmal wat Besonderes mit seine Landwehrübung, er soll Vize werden, er is nu wohl an der Reihe, aber du, sag nich, daß ick dir's jesagt habe, er macht 'n Jeheimnis mit, da is er wie 'n Kind, nur in Traum, da hat er schon von jesprochen – und hier, siehste – *Sie macht den Schrank auf, zeigt einen versteckten, in Papier gewickelten Gegenstand –*, da hat er sich schon 'n Portepeesäbel jekauft, den darf er sich nämlich selbst stellen, weißte, wenn er zum Feldwebel befördert wird – aber nich sagen, daß ick's weiß, da will er mir überraschen mit – da, jetzt ruftse wieder, hörste nich? Ja, ja, ick komm schon! *Man hört eine dünne Stimme, fast wie die eines Kindes, einige Male von fern nach Frau Hoprecht rufen* Da ham wa auch so Pech mit, det is nämlich unsre Untermiete, wir ham ja noch 'n Hofzimmer, det war nu eigentlich für de Kinder jedacht – Friedrich hat es sich so jewünscht, aber ick war doch krank damals, und nu is es ja zu spät, da haben wa denn vermietet, 'n sehr ordentliches Mädchen, noch keine sechzehn Jahre, sie hat in ne Weißzeugnäherei jearbeitet, aber jetzt hatse's auf der Brust, sie liecht schon 'n dritten Monat, zahlen kannse auch nich mehr, sie is nämlich Waise, Friedrich wollte se schon int Lazarette schicken, aber denn weintse, und denn läßt er se wieder, er is ja so gut – *Sie hat im Plappern das Putzzeug weggeräumt, jetzt hört man die Stimme wieder* – ja, ja, jetzt komm ick ja, se mechte nie allein bleiben, denn kriegtse's mit der Angst, 'n Augenblick, Willem… *Ab.*

VOIGT *bleibt zuerst still sitzen, dann steht er auf, legt Hut und Paket auf den Stuhl, geht zum Schrank, besieht sich genau die dort hängende Uniform. Er studiert die Achselklappen, spricht halblaut vor sich hin* Einundzwanziger-Leibgrenadiere. Mhm. Allerhand. *Er betrachtet den Helm, der an einem Haken hängt* Infantriehelm. Mhm. *Er tastet danach, als wolle er ihn herunternehmen. In diesem Augenblick beginnt eine Wanduhr sechs zu schlagen, mit einem dünnen hellen Ton, der durch ein sonderbar leises Rasseln unterbrochen wird. Voigt fährt herum, macht einige zögernde Schritte auf die Uhr zu* Det is doch – det is ja die olle Uhr –! Nee, so was. *Er bleibt stehen, starrt die Uhr an. Inzwischen hört man das Geräusch eines Korridorschlüssels, das Klappen einer Tür, dann tritt…*

HOPRECHT *ins Zimmer. Er ist jünger als Voigt, von breiter kräftiger Gestalt, mit klarem, starkem Gesicht. Einfach gekleidet.*

VOIGT *sieht immer noch die Uhr an. Dann dreht er sich langsam um* Guten Tach, Herr Hoprecht…

HOPRECHT Guten Tag. Wer sind Sie denn?

VOIGT Ick bin nämlich Ihr Schwager. Der Wilhelm Voigt.

HOPRECHT Ach so. *Er überlegt einen kurzen Augenblick, dann geht er auf Voigt zu, gibt ihm die Hand* Das freut mich. Das is recht von dir, daß du mal herkommst. Komm, setz dich. Wo ist denn Marie?

VOIGT Det kranke Mädchen hat grade jerufen, da is se mal hinter.

HOPRECHT Aha. Biste schon lang hier?

VOIGT Nee, seit ne halbe Stunde. Ick wollte ja nur mal…

HOPRECHT Da sind ja noch deine Sachen. Die tu ich mal raus.

VOIGT Ick wollte nu wieder gehn.

HOPRECHT Das gibt's nich. Wir müssen uns doch mal kennenlernen. Oder haste keine Zeit?

VOIGT Zeit hab ick jenuch.

HOPRECHT Na also. Setz dich man ruhig. Du bleibst übern
Abend, das is doch klar.

VOIGT Ick weiß aber nicht, ob det geht. Ich mechte nich stören.

HOPRECHT Unsinn! Erlaub mal, aber da hab ich doch recht,
nich? *Er hängt Voigts Sachen vor die Tür, kommt zurück, sieht
Voigt an* Ich will dir was sagen. Ich mach nämlich kein langen
Summs, das kann ich nicht. Du bist der Bruder von meiner
Frau, da gehörste auch zu mir. Hier biste willkommen.

VOIGT Das is 'n Wort. Ich dank dir.

HOPRECHT Nischt zu danken. *Sie setzen sich* Wie geht's dir denn
jetzt, Wilhelm?

VOIGT Na, et jeht. Et muß erst wieder anfangen. Ick war jetzt
zehn Jahre aus de Welt, weißte...

HOPRECHT Das weiß ich. Seit wann biste raus?

VOIGT Seit heute morjn erst. Ick wußte nu jarnich wohin. Man
kennt sich jar nirjends mehr aus nach so lange.

HOPRECHT Haste denn gar keine Bekannten mehr?

VOIGT Nee. Ick war ja früher schon mal fuffzehn Jahre drinnen,
dazwischen nochmal anderthalb in Moabit, und sonst war ick
ins Ausland. Ick kenne nur Leite von drinnen, weeßte, und
die, die mecht ick nu lieber nich mehr kennen, weeßte.

HOPRECHT Jawohl, das versteh ich. Is auch in Ordnung, Wilhelm. Du wirst nu, wenn ick mal prophezeien darf, ganz von
vorne anfangen, nich? Der Mensch kann immer wieder ganz
von vorne anfangen, da is man nie zu alt für.

VOIGT Ja, det wär schon gut.

HOPRECHT Det is gut, Wilhelm. Da wern wir dir mal 'n bißken
unter de Achseln fassen. Det wird schon werden.

VOIGT Ick hoffe auch. Wennse mir man lassen.

HOPRECHT Arbeit wirste schon finden. Heut sinse nich mehr so.

VOIGT Det kann sein. Aber ick meine de Behörden. Wegen 'n
Aufenthalt.

HOPRECHT Das is alles halb so wild. Sin doch keene Kannibalen! Ick bin ja selbst son Stückchen Behörde, na und? Wenn man jenau hinkuckt, is auch 'n Mensch, was? *Lacht.*

VOIGT *mitlachend* Vor dir ha'ck 'n mächtjen Bammel jehabt, kann'ck dir sagen.

HOPRECHT Sag mal, haste denn schon Quartier?

VOIGT Nee. Aber ick hab'n bißken Geld, ick hab ja Spezialarbeet jemacht. In de Penne brauch ick noch nich.

HOPRECHT Spar mal dein Geld, wirste froh für sein. Jetzt bleibste zuerst mal hier, bis daß de ne Anstellung hast.

VOIGT Nee, Friedrich, det mach ick nich. Det kann ick nich annehmen.

HOPRECHT So, kannste nich? Mußte aber. Das is Regimentsbefehl, verstehste? Da gibt's keine Widerrede. Wenn de denkst, du willst das nich umsonst annehmen, da kannste ja meiner Frau mal ins Jeschäft zur Hand gehn, bis de was andres hast.

VOIGT Dafier bin ick nich raufjekommen, wirklich nich. Ick wollte nur mal wieder 'n Wort mit 'n Menschen sprechen.

HOPRECHT Glaub's schon, Wilhelm. Mir is überhaupt sehr lieb, wenn jetzt 'n Mann im Haus is, solang ich auf Übung ins Manöver geh, Marie is so leichtsinnig mit der Kasse, allens läßt se offen rumstehn, da hab mal 'n bißken 'n Auge drauf, nich?

VOIGT *schweigt einen Augenblick, dann hält er ihm die Hand hin* Weißte, Mensch, wenn's mehr so gäbe wie du, denn brauchten wa keene Zuchthäuser mehr.

HOPRECHT Na, det is wohl 'n bißken übertrieben. *Haut ihm auf die Schulter* Ick meine nur: was jewesen is, is jewesen. Jetzt stell dir man auf de Hinterbeine und halt'n Kopp oben.

VOIGT Det mach ick, Friedrich. Verlaß dir drauf. Siehste, ick hätt's nu nich mehr jeschafft alleene. Vor zehn Jahren, ja, da wollt ick noch raus, und rüber über de Berge, und so – aber jetzt – da wirste todmüde von – weißte.

HOPRECHT Ich sag ja, das wird schon werden.

VOIGT Wenn's nochmal losginge – so runter – denn wär's nämlich aus. Denn gäb's 'n Malör.

HOPRECHT Schwamm drüber, und Augen gradeaus! Die Beene jehn schon von selbst!

VOIGT Ick wer's schon schaffen, Friedrich!

FRAU HOPRECHT *kommt herein* 'n Tach, Friedrich, da biste ja. Sie war nämlich janz naßjeschwitzt, da mußt ick se umbetten. Na, nu habt ihr euch schon 'n bißken kennenjelernt. Det war doch recht, nich wahr, daß ick ihm nich habe wechjehn lassen, er wollte nämlich wieder wech, da hab ick jesagt: erst mußt en kennenlernen, er beißt ja nich.

HOPRECHT Marie, weißte was? Ich hab da mit deinem Bruder abgesprochen, der soll nu zunächst mal hierbleiben. Bis er was hat. Er kann dir ja 'n bißken zur Hand gehn, ins Jeschäft.

FRAU HOPRECHT *nicht allzu eifrig* Ja, sicher, wenn de meinst, Friedrich – ja, soll er auch hier schlafen, meinste?

HOPRECHT Natürlich! Da ham wa ja das schöne Sofa, auf dem nie einer sitzt. Is dir doch recht, Willem, was?

VOIGT Und ob! Da hängt auch de Uhr drüber, die ham wa zu Hause in Flur hängen jehabt, nich wahr, Mariechen? – Dat heißt, wenn's Marie recht is…

FRAU HOPRECHT Da müßt ich nu Bettwäsche rausjeben.

HOPRECHT Na, gib se man raus! Du hast ja 'n ganzen Spind voll.

FRAU HOPRECHT Jewiß doch, ick meine ja nur, ick muß se rausjeben. *Geht. In der Tür* Ick jeh mal ums Abendbrot. *Ab.*

HOPRECHT *lacht* So is se nu. Ne Seele von Mensch, nur 'n bißken umständlich. Da schau mal her, Willem. Will dir mal was zeigen. *Führt ihn zum Schrank* Ich werde nämlich, wenn's klappt, diesmal zum Vizefeldwebel befördert. Is ja meine zweite freiwillige Landwehrübung. Das weiß sie aber nich, da will ich se überraschen mit, da isse nämlich wie 'n Kind, in so Sachen. Siehste, da hab ick mir schon mein Portepeesäbel jekauft, den darf man sich selbst stellen – da kuck *Er öffnet die Papierhülle ein wenig, daß man den Säbelgriff sieht, schaut dabei ängstlich zur Tür –*, damit komm ich denn heim, und mit die Knöppe und Kokarden. *Schmunzelnd* Du hältst aber dicht, Willem, nich? Das darf se nich ahnen.

VOIGT Selbstverständlich. – Wenn's denn mal losjeht, denn kannste als Offiziersstellvertreter einrücken und kannst auch Feldwebelleutnant werden.

HOPRECHT Nanu, du kennst dich ja mächtig aus in der Rangordnung.

VOIGT Ick hab mir immer interessiert für, ick bin ja selbst nie zu jekommen.

HOPRECHT Schade drum. Das is doch das Beste im Leben. *Tut den Säbel weg* So, jetzt wollen wir mal rasch 'n Begrüßungsschluck nehmen, was? Wir zwei Männer unter uns. Ich hab da sone Flasche, die haben se mir im Büro zu Neujahr spendiert. Is 'n echter alter Korn.

Er holt während des Folgenden aus dem Büfett eine Flasche, die noch drei Viertel voll ist, füllt zwei kleine Gläschen.

VOIGT Hör mal, Friedrich, da hätt ick ne Frage, mit det Büro, weißte, du bist doch da aufn Magistrat, wo allens durchjeht, es is nur wejen meine Aufenthaltserlaubnis, un damit se mir nich wieder ausweisen, oder 'n Paß verweigern, so war det nämlich immer – und denn gibt's ooch keene Arbeet, ohne de Anmeldung – ick meine, ob du da vielleicht wat machen kenntest, wenn de Papiere kommen.

HOPRECHT Das geht alles seinen Gang, Willem. Machen kannste da gar nichts. So wolln wir jetzt auch gar nicht anfangen, was? Da mußte den richtigen Weg einschlagen, denn klappt das auch. Hintenrum, das wär ein Delikt! Und was dir zusteht, das kriegste, dafür sind wir in Preußen. Also prost, Willem, aufs neue Leben! Da mach dir man keine Sorgen. Das geht alles seinen Gang!

VOIGT Na, prosit! *Sie stoßen an.*

Dunkel.

Zehnte Szene

Personen: Bürgermeister Obermüller, Frau Obermüller, Hellmut und Irene, ihre Kinder, Fanny, das Dienstmädchen, Zuschneider Wabschke

Das eheliche Schlafzimmer des Bürgermeisters Obermüller in Köpenick. Breites Ehebett aus prätentiösem Edelholz, Nachttische, Vorhänge, Lampen, Kleiderschränke. Über dem Bett des Mannes hängt die Madonna della Sedia, über dem der Frau der Adam von Michelangelo. Eine Uhr tickt an der Wand, ein Wecker auf dem Nachttisch, beide zeigen drei Uhr fünfzehn Minuten. Ein Telefonapparat auf dem Nachttisch der Dame. Frau Obermüller, junonische Erscheinung, sitzt auf dem Bett, in Nachthemd und gestickter Nachtjacke, unter der ein Mieder den Busen trägt. Ihr Haar, der Frisurunterlagen und sonstigen Beiwerks beraubt, ist mit Haarnadeln und Spangen hochgesteckt. Sie hat den Telephonhörer am Ohr und trommelt in höchster Erregung auf den Apparat. Dazu schreit sie.

FRAU OBERMÜLLER Potsdam! Pottsdamm! Potsdam 324, Wormser!!

OBERMÜLLER *halb eingeseift, halb rasiert, im offenen Bademantel, darunter komplette wollene Unterkleidung, Sockenhalter, militärische Zugstiefel mit Sporen, stürzt aus dem Badezimmer* Hast du's, Mathilde? Wo bleibt denn Fanny?!

FRAU OBERMÜLLER Herrgott, ich kann doch nicht zaubern – *Drückt auf eine Klingel, die schrill ertönt* Potsdam, Potsdam 324 – geh doch rasieren, du wirst ja noch nich mal mitm Rasieren fertig!

OBERMÜLLER Fertig fertig fertig, wie soll ich denn fertig werden, wenn überhaupt alles versagt, wo bleibt denn Fanny?

FRAU OBERMÜLLER *schellt wütend* Die Gans liegt wieder aufm Ohr. Da meldet sich niemand –

OBERMÜLLER Wenn mich der Wormser im Stich läßt, dann muß es eben mit der alten gehn, ich kann doch nicht in Unterhosen zum Kaisermanöver, ich muß doch um Punkt vier –

FANNY *das Dienstmädchen, verschlafen, im Nachtzeug* Wat soll's denn?

BEIDE Die Uniform!!

FANNY Die is noch nich jekommen!

OBERMÜLLER Die alte, zum Donnerwetter! Die alte!!!

FANNY *tranig* Die olle?

FRAU OBERMÜLLER Natürlich, machense doch, sie hängt unten im Vorplatz.

FANNY Die soll doch wech.

OBERMÜLLER *schreiend* Holen Sie sie her!!

FANNY Ick hol se doch. *Ab.*

FRAU OBERMÜLLER Potsdam!! Potsdam 324! Jetzt steh nich hier rum, wasch dir die Seife ab. Jawohl, Potsdam, endlich, hier ist Bürgermeister Obermüller, Köpenick – Bürgermeister Obermüller, Kö-pe-nick – nein, nein – nicht Spandau, wie kommense denn auf Spandau? – Köpenick!

OBERMÜLLER *entreißt ihr den Hörer* Ist dort Wormser, Uniformschneider Wormser in Potsdam – Sie haben mir für spätestens Mitternacht die neue Uniform versprochen, spätestens Mitternacht haben Sie gesagt, jetzt ist es halb vier, Sie wissen doch, daß ich um vier Uhr beim Regimentsstab sein muß, ich kann doch nicht nackt hinlaufen, wie können Sie mich nur so im Stich lassen, ich – Wie?! Is gar nich Wormser? Ja, wer is denn – wie, was, meldet sich nicht, wieso meldet sich nicht? Mitten in der Nacht? Es ist ja schon hell draußen!! Unerhört so was *Läßt den Hörer sinken* – meldet sich nicht. Wormser meldet sich nicht.

FRAU OBERMÜLLER Das hätt ich dir gleich sagen können. Mitten in der Nacht.

OBERMÜLLER Es is ja schon hell draußen. Ich muß doch um vier Uhr –

FANNY *mit der alten Uniform* Da is se. Ick dachte, die soll wech.

FRAU OBERMÜLLER Denken Sie nicht, helfen Sie mal meinem Mann, rasch, rasch!

OBERMÜLLER Die Hosen gehn auf alle Fälle noch, ich kann sie einfach mit Sicherheitsnadeln feststecken – *Ist in die Hose gefahren* – aber der Rock! Der Rock!! *Versucht, ihn anzuziehen.*

FRAU OBERMÜLLER *mit Fanny helfend, ziehend* Du bist viel zu dick geworden, du bist viel zu dick, ich sag's ja schon lange!

OBERMÜLLER Unsinn! Der Stoff ist eingegangen, ich war vor fünf Jahren genau wie heute, Herrgott, ich kann's mir doch jetzt nicht runterschneiden!! Es geht nicht – *Zieht stöhnend an der Uniform, sie geht nicht zu.*

FRAU OBERMÜLLER An so was denkt man eben früher! Da sind ja die Kinder draußen, was tut denn ihr hier, wie kommt ihr denn dazu, aufzustehn!!

HELLMUT UND IRENE *halbwüchsig, in langen Nachthemden, schauen herein.*

IRENE Wie soll denn 'n Mensch schlafen bei dem Radau.

HELLMUT Ich dachte, ich kann mal mitn Fahrrad rasch zum Uniformschneider sausen.

OBERMÜLLER *auf die Kinder los* Unfug! Wollt ihr sofort ins Bett!

HELLMUT *beleidigt* Na, ich kann's ja lassen. *Ab mit Irene.*

OBERMÜLLER *in dumpfer Verzweiflung* Ich muß sofort beim Regimentsadjutanten anrufen – plötzliche Herzattacke – nein, Fieber – Bronchialkatarrh – oder doch Herz – Herz is besser –

FRAU OBERMÜLLER Fanny, gehnse raus! *Fanny murrend ab* Du rufst nicht an! Du nimmst dich zusammen, das fehlt noch, daß du jetzt einfach schlappmachst – wenn's um die Wurst geht! – *Versucht, ihm mit Gewalt die Uniform zu schließen.*

OBERMÜLLER Au, au!!

FRAU OBERMÜLLER Was denn au, ich tu dir doch nicht weh, halt doch mal still – da – *Sie behält einen Fetzen Stoff mit dem Knopf in der Hand.*

OBERMÜLLER *aufs Bett sinkend* Jetzt is alles aus –

FRAU OBERMÜLLER *wie rasend ans Telephon* Potsdam!! Potsdam 324!!!!

OBERMÜLLER *tragisch* Das hat keinen Zweck mehr. Wenn sie jetzt noch nicht – Wozu hab ich mich überhaupt gemeldet.

FRAU OBERMÜLLER Potsdam 324!!

OBERMÜLLER Ich müßte ja gar nicht mehr. Nur du hast es gewollt.

FRAU OBERMÜLLER Ich muß aber Verbindung kriegen!! 324!!

OBERMÜLLER Aus Renommiersucht. Aus purer weiblicher Eitelkeit. Der Freundinnen wegen.

FRAU OBERMÜLLER So, jetzt bin i c h wieder dran schuld.

OBERMÜLLER Im Amt bleibt so viel Wichtiges liegen –

Die Hausglocke schrillt, Frau Obermüller fährt hoch.

FRAU OBERMÜLLER Es hat geschellt!!

OBERMÜLLER *völlig verstört* Geschellt – wieso geschellt – geschellt – es hat doch geschellt!!

FRAU OBERMÜLLER *springt auf, arrangiert sich* Wormser!

OBERMÜLLER Es hat doch geschellt –

DIE KINDER *stürmen herein, hinter ihnen Wabschke, einen neuen Uniformrock überm Arm.*

IRENE Vater! Da isse, wir habense!!

HELLMUT Nun aber rasch, Vater, mitn Auto schaffste's noch!!

WABSCHKE Ich hab die Taxe gleich halten lassen, der Zähler
steht schon uff siebzehn fuffzich. Von Potsdam hierher is 'n
orntliches Ende. Guten Morjn die Herrschaften, wünsche
wohl jeruht zu haben.

OBERMÜLLER *ist aufgesprungen, völlig verwandelt* Na, Kinder,
wozu die Aufregung, ich hab ja gewußt, daß es noch klappt,
Wormser wird mich doch nich im Stich lassen, nich wahr?
Gebense mal her.

FRAU OBERMÜLLER *auf Wabschke losfahrend* Na hör mal! Nicht
im Stich? Is ja unerhört, die Uniform war für spätestens Mitternacht versprochen, jetzt kommtse in letzter Minute!

WABSCHKE Gnädige Frau, de letzte Minute is immer de beste
Minute. Wat hätte Ihr Herr Jemahl uff Mitternacht in Uniform sollen machen, da hat er doch jescheiter ins Bett jelegen.

FRAU OBERMÜLLER Glauben Sie vielleicht, wir hätten heute
nacht ein Auge zugetan?

WABSCHKE Det is schade. Int Manöver wird der Herr Bürgermeister womöglich auch nich zu die nötije Bettruhe kommen. Da heißt et *Singt*

»Steh ick in finstrer Mitternacht
Janz einsam auf der stillen Wacht –«

DIE KINDER *fallen ein.*

OBERMÜLLER Ruhe!! Meinen Säbel her! *Er hat die Uniform angezogen, Wabschke zieht sie noch ein wenig zurecht.*

WABSCHKE Na, wat sagense jetzt, Herr Bürgermeister. Sitzt se oder sitzt se nich?

OBERMÜLLER *schnallt unter, setzt die Mütze auf* Fanny, den Handkoffer und die Mäntel! Nein, gleich ins Auto!

FANNY *erscheint in der Tür* Nu sieht der Herr Bürjermeister aber janz echt aus. Wie 'n Offizier.

OBERMÜLLER *in bester Laune* Na, soll ich vielleicht wie 'n Briefträger aussehn? Na, Thildchen, wie is?

FRAU OBERMÜLLER In Ordnung! So kannste dich sehen lassen.

IRENE Einfach süß, Papa.

HELLMUT Is der Säbel auch scharf? Haste kein' Offiziersrevolver?

OBERMÜLLER Kommt, Kinder, ihr könnt mich zum Auto begleiten. Adieu, Thildchen, auf Wiedersehn.

FRAU OBERMÜLLER *küßt ihn* Und du rufst an, sobald du 'n freien Abend hast, dann gehn wir aus, ich bringe Junghansens mit, nich wahr?

OBERMÜLLER Selbstverständlich, Thildchen. Macht's gut, Kinder. Hab ich meine Uhr? Ja – Herrgott, Geld muß ich einstekken.

WABSCHKE Det wär keen Fehler.

OBERMÜLLER Also adieu, fahren Sie mit, Wabschke?

WABSCHKE Nee, ick nehme de Stadtbahn. Viel Vagniegn, Herr Bürjermeister, Heil und Sieg! Hipp hipp, hurra!

OBERMÜLLER *mit den Kindern ab.*

WABSCHKE Ick kann Ihnen sagen, gnädige Frau, det war 'n Stick Arbeet. Um sechse ham wa anjefangen, un denn de janze Nacht in eine Schicht, ohne Abendbrot. Aber was tut man nich alles fürs Vaterland, nich?

FRAU OBERMÜLLER Hier, nehmen Sie die alte Uniform gleich mit, sagen Sie Herrn Wormser 'n schönen Gruß, er soll sie als Anzahlung übernehmen und auf der Rechnung abziehen.

WABSCHKE *betrachtet die Uniform* Die macht ooch keen Belach mehr uffs Butterbrot. Der Herr Bürjermeister hat se damals schon jebraucht iebernommen.

FRAU OBERMÜLLER Ach wo! Mein Mann trägt nichts Gebrauch-
tes. Er is nur zu dick geworden, sonst wär sie noch tadellos.
WABSCHKE Na, fiern Maskenball wird se vielleicht noch jehn.
Dunkel.

Elfte Szene

Personen: Ein Polizist, ein Leutnant mit Adjutantenschärpe,
Wartende, Wilhelm Voigt

*Ein Gang im Rixdorfer Polizeirevier. Nackte Wand, Bank, Tür. An
der Tür die Aufschrift: »Zimmer 9«. Einwohnermeldeamt Rixdorf.
Etwa zehn Wartende beiderlei Geschlechts sitzen auf der Bank. Einige
trommeln mit den Fingern oder räuspern sich nervös. Ein kleiner älterer
Mann liest den ›Vorwärts‹. Die meisten schauen vor sich hin, schweigen. – Die Tür geht auf. Alle sehen hin, der Nächstsitzende steht auf.*

DER POLIZIST *kommt von drinnen, läßt eine Frau heraus.*
DIE FRAU *weinerlich nach rückwärts sprechend* Nein, das hab ick
nich jewußt, daß ick ’n Besuch anmelden muß, nein, das
konnt ick nich wissen, da kann ick nichts für. *Sie geht, mit dem
Taschentuch vor der Nase.*
DER NÄCHSTE *will eintreten.*
POLIZIST *vertritt ihm die Tür* Setzense sich hin.
DER MANN Wieso denn, ich bin doch dran.
DER POLIZIST, *ohne zu antworten, ruft in den Gang* Herr Schie-
trum! Zum Chef.
DER MANN Ich bin aber doch dran –
POLIZIST, *ohne zu antworten* Herr Schietrum!
EIN BEAMTER *kommt mit einem Aktenbündel.*
POLIZIST Zum Chef, Herr Schietrum. *Er gibt die Tür frei.*
DER BEAMTE *geht hinein.*
POLIZIST *schließt die Tür hinter ihm, stellt sich davor.*
DER MANN Ich war doch dran.
POLIZIST Sie sollen sich hinsetzen.

DER MANN *setzt sich* Wenn man nu endlich drankommt –

POLIZIST Sie kommen dran, wennse dran sind.

ANDRER MANN, *der den ›Vorwärts‹ liest, mit sehr dünner Stimme* Erlaubense mal, das is doch 'n bißken stark. Is son Amt für die Menschen da – oder die Menschen fürs Amt?!

DER ERSTE Na ja, Sie kennen doch den schönen Spruch:

> »Die mehrste Zeit des Lebens
> Wartet der Soldat vajebens.«

Einige lachen.

DER ›VORWÄRTS‹-LESER Wir sind aber hier keene Soldaten, wir sind hier Staatsbürjer, bitte recht sehr! Wir haben auch noch wat anderes zu tun, als hier de Wand zu vazieren, vastehnse?

POLIZIST Wenn Sie Zeit haben fürn ›Vorwärts‹ zu lesen, denn habense auch Zeit zum Warten.

DER LESER Hörn Sie, dat jeht Sie überhaupt nichts an, jeht Sie dat. Aufn ›Vorwärts‹, da bin ick auf abonniert, jawohl, bin ick, dem les ick alle Tage, wennse's wissen wolln, und deshalb verlange ick hier trotzdem meine staatsbürjerliche Pflicht, Recht wollt ick sagen.

POLIZIST Störense hier nich, Sie sind ja noch gar nich an der Reihe.

DER LESER Nee, det jeht neemlich wirklich 'n bißken zu weit. Jetzt is eener von 'n anderes Büro da rinjegangen, jetzt erzählense sich da drin Witze.

POLIZIST *geht auf ihn zu* Was tun die da drin?

DER LESER Dat weiß ick doch nich, wat die da drin machen. Ick will nu endlich rankommen, will ick. *Guckt in die Zeitung.*

POLIZIST Hier kommt jeder dran, wenn er dran is. *Geht wieder zur Tür.*

WILHELM VOIGT *kommt von der Seite. Sehr eilig und erregt* Verzeihense, is hier Zimmer neun?

POLIZIST Könnense nich lesen? Setzense sich hin.

VOIGT Nee, pardong, Herr Wachmeester, ick mechte nu erst wissen, ob ick hier auch richtig bin, er hat jesagt, probiernse's

mal in Zimmer neun, aber wenn et nu wieder nich stimmt –
wenn dat nu wieder nich zuständig is –

POLIZIST Setzense sich hin. Sie werden's ja sehn.

VOIGT Nee, bis ick da rankomme, denn kann's ja zu spät sein,
denn is allens aus! Ick steh unter Polizeiaufsicht, aber ick
wohne ja bei mein Schwager, und da war ick ins Hauptrevier,
da sagt er, in Rixdorf gibt's keene Polizeiaufsicht, da wernse
wol ausjewiesen, det is wohl schon im Gange, aber er wußte
ja nich genau, probierense mal in Zimmer neun, hat er jesagt –

POLIZIST Na, setzense sich hin.

VOIGT Wenn ick nu nich mehr rankomme – oder wenn det Zimmer neun auch wieder falsch is – denn is ja zu spät!

POLIZIST Redense nich, setzense sich hin.

VOIGT Ick bin doch da in 'n anständijes Haus, da brauchense mir
doch nich ausweisen, das mißt ick nur einem sagen – der zuständig is –

POLIZIST Setzense sich hin.

VOIGT *setzt sich.*

HERR SCHIETRUM *kommt heraus, geht nägelkauend weiter.*

POLIZIST So. Der nächste. *Macht auf, geht mit dem nächsten hinein.
Bewegung unter den Wartenden.*

DER ›VORWÄRTS‹-LESER *mit asthmatischem Pfeifen* Det is'n Radfahrer, det is 'n richtiger Radfahrer, der! Nach unten tritt er –
nach oben macht er 'n Puckel.

EINE FRAU Die haben ja Zeit.

DER LESER Ick sage, det is unsere Zeit, wat die vertrödeln, und
unser Jeld is et, wat se vafressen! Mir machense arm mit ihre
unjebührliche Schikanen. Ick heiße Klawonn und bin Budiker, und damit hab ick mir ehrlich hochjearbeitet, und nu machense mir die Jeschichten wegen de Konzession, warum?
Det weiß man schon. Aber ick sage: denken kann ick, wat ick
will, deshalb verlange ick trotzdem meine staatsbürgerliche
Pflicht, Recht wollt ick sagen – *Verschluckt sich, hustet.*

POLIZIST *kommt heraus* Ruhe hier! Das stört ja drinnen!! *Er reißt
plötzlich die Knochen zusammen und schaut mit starrem Blick den
Gang aufwärts.*

EIN LEUTNANT MIT ADJUTANTENSCHÄRPE *kommt raschen Schrittes* Zimmer neun?

POLIZIST *stramm* Jawohl, Herr Leutnant!

LEUTNANT Machense mal den Laden zu, der Ort kriegt Einquartierung. *Geht ins Zimmer, der Polizist folgt dienstbeflissen, schließt die Tür.*

DER LESER Na, jetzt kenn wa einpacken. Nu is aus. Fürs Militär, da hamse nemlich Zeit, da hat 'n Staatsbürjer keine Existenz gegen. Wenn da son flotter Leutnant kommt – äh äh –

EIN DICKER MANN, *der bisher immer gradeaus gesehen hat, springt auf* Wat, Sie, derse nich mal de netije Brustweite haben, wollen hier wat gegens preißische Militär sagen? Sie pfeifen ja ausm letzten Loch, Sie oller Piepfritze Sie!

DER LESER Will ick ja gar nich! Ick will nur meine staatsbürgerliche –

DER POLIZIST *öffnet die Tür. Alle verstummen, schauen hin. Der Polizist hängt schweigend ein Schild an die Tür: »Heute geschlossen«. Mißt die Wartenden mit bedeutungsvollem Blick, Kopfbewegung nach dem Ausgang.*

VOIGT *im Aufschrei* Ick muß aber rin! Ick muß – Sonst is ja zu spät!!

POLIZIST *ins Zimmer zurück, schließt hart die Tür hinter sich.*

VOIGT *sinkt auf die Bank.*

DER LESER *während die andern gehen* Det jebense man auf. Heit kommense da nich mehr rin. Denn kennense gleich durchsitzen bis morjn frih. *Er geht.*

VOIGT *bleibt allein. Sitzt mit gebeugtem Rücken, wie erschlagen, unbeweglich. Nach kurzer Zeit hört man von drinnen, anschwellend...*

DIE STIMME DES OFFIZIERS ...kann ich keine Rücksicht nehmen! Befehl is Befehl, darnach habense sich zu richten!! *Die Stimme schwillt wieder ab.*

VOIGT *hebt den Kopf, lauscht – dann steht er auf, geht auf den Zehenspitzen an die Tür – schaut durchs Schlüsselloch. Dunkel.*

Zwölfte Szene

Personen: Das kranke Mädchen, Wilhelm Voigt

Kammer mit Bett, Fenster zum Hof, Tür zum Gang. Auf einem Stuhl neben dem Bett sitzt Voigt. Das Bett ist so gestellt, daß man die darin liegende Gestalt kaum sehen kann – nur ihre Hand, die Voigt in der seinen hält. Überm Bett an der Wand aus Zeitschriften ausgeschnittene Farbdrucke, mit Reißnägeln befestigt. Vom Hof herauf hört man eine Männer- und eine Frauenstimme zweistimmig ein larmoyantes Lied vortragen. Mandolinenbegleitung.

DAS MÄDCHEN Onkel Willem, ich hör doch was, was isn das?

VOIGT Det sind de Hofsänger. Auch Hofraben jenannt. Die singen bei Hof, weißte, und denn wirft der Kaiser 'n Groschen runter, damit se wieder aufhören.

DAS MÄDCHEN Du, ick hab auch 'n Groschen, er liecht auf mein Waschtisch unter der Zahnpulverschachtel. Wirf 'n runter!

VOIGT Wenn's dir Spaß macht –

DAS MÄDCHEN Wirf 'n runter!

VOIGT *holt den Groschen, geht zum Fenster, öffnet.*
Man hört die Stimmen der Hofsänger deutlicher

> »Drum sag ich's noch einmal:
> Schön ist die Jugendzeit,
> Schön ist die Juu-uugend,
> Sie kommt nicht mehr!«

VOIGT Da is ne olle Zeitung, da wer ick's reinwickeln. So – *Er wirft.*

DAS MÄDCHEN *sich aufrichtend* Hamse's? Hamse's jefangen?!

VOIGT Bumms! Grade aufn Hartmann! Na, det gibt ja keen Loch in Kopp.

DAS MÄDCHEN *lacht, hustet.*

VOIGT *fährt herum* Willste dir zudecken, willste dir niederlegen, du kleene Krotte, nachher wirste nich jesund. *Ist hingelaufen, deckt sie zu.*

*Von unten hört man die Stimme des Hofsängers, der eine Ansprache
hält.*

VOIGT *rasch zum Fenster, schließt es.*

DAS MÄDCHEN Warum machste denn zu, da kann man ja nichts
hören.

VOIGT Jetzt singt er ja gar nich, jetzt klönt er nur. Det kann ick
hier oben auch sagen. *Stellt sich in Positur* »Hochvaehrte Damen und Herrn – wir, die wir auf Jesanges Flügeln durch die
Lande ziehn – wir sind den Vögeln des Himmels zu vajlei-
chen, von denen schon in de Bibel steht: sie säen nich, sie
ernten nich, aber ne trockene Schrippe ernähret sie doch.
Darum, verehrtes Publikum, werft uns ne milde Gabe runter,
und wenn's 'n Sechser is, det vazinst sich in Himmel, da habense denn mal ne Million droben ze liegen, wennse recht
lang leben und bei uns hier drunten immer tüchtig einzahlen!«

DAS MÄDCHEN Scheen machste das. Als ob de mal bei jewesen
wärst.

VOIGT Na, vielleicht kennt ick's noch werden.

DAS MÄDCHEN Sag mal, Onkel Willem, biste viel rumjekom-
men in de Welt?

VOIGT Ja doch, mächtig! De seßhafte Lebensweise, die hat mir
nie recht zujesagt. Ick war in alle fünf Weltteile, weißte – und
einmal, da bin ick übers böhmische Riesenjebirje jewandert.
Det is jróß.

DAS MÄDCHEN Herr Hoprecht war mal auf See, als Junge. Da
hamse auch 'n Sturm jehabt, und 'n richtigen Neger. Aber da
kann er gar nich erzählen von. Du erzählst viel besser.

VOIGT Ick hab mir's eben scheen ausjemalt im Kopp, weißte.
Du, aber ins Riesenjebirje, da mußte auch mal rauf. Wenn
de jetzt jesund wirst, da mußte dir doch erholen, da zahlt
dir vielleicht de Kasse wat zu, un denn jehste rauf, in de
Berje.

DAS MÄDCHEN Ick war mal in de Müggelberje. Da war ick aber
noch klein. Det war son Ausflug mitn Waisenhaus. Ick kann
mir gar nich besinnen.

VOIGT De Müggelberje, det sind ja Maulwurfshaufen, da hippt

ja n' Floh rieber, wenn er 'n bißken aufjeregt is. Nee, Kind, wat sone wirklichen hohen Berje sind, det kannste dir gar nich ausdenken. So mächtig hoch is det, da biste janz nah bei de Wolken, höher als de Wolken, und manchmal, da biste wahrhaftig über de Wolken, höher als de Wolken, denk mal! Da haste droben 'n scheensten Sonnenschein – und drunten regnet's!

DAS MÄDCHEN Is über de Wolken, is da immer Sonne?

VOIGT Freilich! Die Sonne, die is doch 'n janzen Tach da, nich!? Und de Wolken, die schwappen nur so um de Erdkugel rum. Wenn de mal drüber warst, denn weißte das. Die haben mitm Himmel jar nichts zu tun, die sind nur son Dunst von unten, ausn Wasser.

DAS MÄDCHEN Is da nich kalt droben?

VOIGT Kalt? So nah bei de Sonne? Nee, Kind, da kannste, wenn de Sonne richtich hoch is, mitten in Winter im Schnee in Hemdsärmeln rumlaufen, kannste da, da merkste jarnich, daß Frost is! Du, und was da allens wächst! Hier unten, wat is da schon – 'n paar krüppelije Kiefern, 'n bißken Heide- kraut und mal 'n Wacholderbusch. Det einzige is noch unser Obst in Werder. Aber da droben, da schmeckt schon de Luft, ick sage dir, wie in son Obstjeschäft. Und Blumen jibt et da, nich bein Gärtner, nee, uff jede jewöhnliche Kuh- weide, so was kennste nur ausn Bilderbuch, so was haste noch nie jesehn.

DAS MÄDCHEN Wieso kommt 'n det, Onkel Willem, daß es da droben so scheen is, und hier is es doch jarnich besonders?

VOIGT Det will ick dir sagen, det hab ick mir so ausjedacht. De Erde, die is lebendig, det merkste daran, daß se sich vaändert. Und wat lebendig is, dat will rauf, dat will in de Höhe, dat will nach oben, kick man son Grashalm oder ne Setzkartoffel, oder 'n Kind, nich wahr? – Un deshalb is det so mit de Erd- kruste: det Wasser, det is schwer, det lauft ab, det fällt in die Meere. Aber de richtije bessere Erde, die wächst in de Höhe, die türmt sich rauf, weißte? Hier unten, da sind wa näher bei's Meer, deshalb is hier mehr Sand oder Dreck, nich? Da droben, da is zum Beispiel ›Rosenquarz‹ oder ›Bergkristall‹. Da is eben viel scheener.

DAS MÄDCHEN Onkel Willem – da jehn wa hin zusammen! –

VOIGT Ja, Kind, det machen wa.

DAS MÄDCHEN Da nimmste mir mit, nich? Wenn de wieder raufmachst!

VOIGT Jewiß doch, det mecht ick schon gerne.

DAS MÄDCHEN Hörste? Jetzt singense wieder – Det ›Puppchen‹ is et, det is scheen!

Man hört durch die geschlossenen Scheiben sehr fern die Hofsänger den Schlager »Puppchen, du bist mein Augenstern« in raschem Tempo singen.

VOIGT Ja, det is 't ›Puppchen‹.

DAS MÄDCHEN Du, ich glaube, da komm ma nich mehr hin.

VOIGT Wat meinste?

DAS MÄDCHEN Ins Riesenjebirje. Da komm wir nicht mehr hin, wir zweie.

VOIGT Na, wart man ab, Kind. Det könn wir nich wissen. *Er streichelt sie.*

DAS MÄDCHEN Du jehst nich fort, bitte –

VOIGT Nee, wo wer'ck denn. Ick muß doch auf de Wohnung passen. Vater Hoprecht is ja ins Manöver, und Marie is ins Jeschäft, da kennt ick ja jarnich wech, nich wahr?

DAS MÄDCHEN Willste mir nich wat vorlesen, bittschön?

VOIGT Gern. Hast 'n Buch, oder 'n Kalender?

DAS MÄDCHEN *kramt zwischen Bettgestell und Matratze ein Buch hervor* Da bin ich eigentlich schon zu alt für. Aber det les ich so gerne, det kann ick immer wieder hören. Frau Hoprecht lacht mir aus, wenn se's findet. Du bist doch keen Kind mehr, sagtse. Da hab ickn Kritzer mitn Fingernagel jemacht, wo ick zuletzt jestanden habe. In de ›Jeschichte von den Bremer Stadtmusikanten‹.

VOIGT Zeich mal – Grimms Märchen. *Setzt seine Brille auf.*

DAS MÄDCHEN Da bin ick eijentlich schon zu alt für.

VOIGT Det macht nichts. Ick les det auch sehr gerne, und ick bin ja nu ziemlich ausjewachsen, nich?

Es schellt.

DAS MÄDCHEN *fährt hoch* Nich wechjehn!! Bitte!!

VOIGT Na, Kind, ick muß doch, wenn et schellt. Et könnt ja wat
sein.

DAS MÄDCHEN Vielleicht hat sich einer in de Etage jeirrt. Es
kommt doch jetzt keiner.

VOIGT Ick bin ja gleich wieder da, Kind.

DAS MÄDCHEN *klammert sich an ihn* Et is ja gar nichts. Der is
schon wieder wech! *Es schellt wieder.*

VOIGT Siehste? Ick muß mal sehn, ick mach janz rasch mach ick.

DAS MÄDCHEN Aber du läßt de Tür offen, nich? Und machst det
Licht an – bitte! Es wird ja schon duster draußen – un denn
wird det Fenster so blank, so weiß – wie 'n Auge –

VOIGT *zündet rasch die Gaslampe an und zieht den Vorhang vors Fenster. Es schellt heftig* So. Is jut so? Nu muß ick ma kucken.

DAS MÄDCHEN Aber de Tür offenlassen, bitte!!

VOIGT Jewiß doch. Da kannste mir hören, bis an de Flurtür.
Geht, läßt die Tür offen.

VOIGTS STIMME Wer ist denn da?

FREMDE STIMME *draußen* Wohnt hier der polizeibeaufsichtigte
Schuster Wilhelm Voigt?

VOIGT Ja. Wartense, ick mach uff. Ick bin et selber.

FREMDE STIMME Unterschreibense mal. Ich hab ne Zustellung
vom Revier.

Es bleibt einen Augenblick still. Die Hofmusik hört auf.

VOIGT *kommt zurück. Er hält ein großes Kuvert mit Amtssiegel noch
uneröffnet in der Hand.*

DAS MÄDCHEN *ganz ruhig* Hast 'n Brief jekriegt, Onkel Willem?

VOIGT Nee – det is nur ne Schreiberei. *Er steckt das Kuvert ein.*

DAS MÄDCHEN Willste nich lesen?

VOIGT Det eilt nich. Det is langweilig. Ick les dir lieber vor.
Setzt sich, nimmt das Buch Also da weiter, wo de jestanden bist.
»Wie kann man da lustig sein, wenn's einem an den Kragen
geht, antwortete die Katze. Weil ich nun zu Jahren komme,
meine Zähne stumpf werden und ich lieber hinter dem Ofen
sitze und spinne, als den ganzen Tag nach Mäusen herumzuja-

gen, wollen sie mich ersäufen! Ich hab mich zwar noch fort-
gemacht, aber nun ist guter Rat teuer. Wo soll ich denn hin? –
Komm mit uns, sagte der Hahn – etwas Besseres als den Tod
werden wir überall finden –« *Er stockt, schaut das Mädchen an*
Na, Kind? Wat is denn? – Schläfste? *Er beugt sich über sie, sie*
atmet tief.

VOIGT *legt das Buch auf seine Knie – holt mit rascher Bewegung das*
Kuvert aus seiner Tasche, zögert einen Moment, dann bricht er es
auf, liest. Gleichmäßig mit halblauter Stimme »Ausweisung aus
den Bezirken Rixdorf, Reinickendorf, Neukölln, Groß-Lich-
terfelde – Sie haben sich – binnen achtundvierzig Stunden –
Liest stumm weiter, dann wieder halblaut – im Nichteinhaltungs-
falle erfolgt Abfuhr per Schub, im Wiederbetretungsfalle
Freiheitsstrafe bis zu – *Verstummt.*

DAS MÄDCHEN *nach einer Pause, plötzlich* Onkel Willem – du liest
ja gar nich.

VOIGT *nimmt das Buch auf* »Komm mit, sagte der Hahn – etwas
Besseres als den Tod werden wir überall finden.«
Dunkel.

Dreizehnte Szene

Personen: Adolf Wormser, Willy Wormser, Auguste Victoria
Wormser, Rittmeister v. Schleinitz, Major Keßler und Frau,
Assessor Trumpp, Herren, Damen, Kellner

Eine erhöhte Ehrenloge im großen Festsaal bei Dressel. Strahlende Be-
leuchtung, elegante Dekoration, alles in Weiß und Silber, künstliche
Blumen, Spiegel. Der Saal ist seitlich, tiefer gelegen zu denken.
  In der Loge ein Tisch mit Sektgläsern, Flaschen in Kühlern, Des-
serttellern, Obst- und Kompottschalen, Aschenbechern und Likörglä-
sern, auch Knallbonbons, Kotillonscherzen und Blumen reichlich be-
deckt. Am Tisch Herr Wormser, Willy Wormser, Herr und Frau Ma-
jor Keßler, Assessor Trumpp. Wormser ist im Frack, dessen Hemd-
brust bereits von Anstrengungen aller Art, Essen, Lachen, Reden,
Schwitzen, stark angeknittert ist. Willy trägt Husarenuniform im ele-

gantesten Offiziersschnitt, er ist aber nur Gefreiter und macht eine recht klägliche Figur. Herr und Frau Major Keßler: älteres gut situiertes Ehepaar, er pensioniert, in Zivil, sehr bequem, sie etwas auffällig tief dekolletiert. Trumpp: verbummelt, humorig, angerauscht. – Bei Beginn der Szene steht auf den seitlichen Stufen der Ehrenloge, wie auf einem Podium dem Saal zugewandt, Fräulein Auguste Victoria Wormser in der Uniform eines Hauptmanns der Potsdamer Gardegrenadiere. Die Uniform spannt über ihrer wohlgerundeten Figur, etwas zu blonde Haare quellen kokett unter der Offiziersmütze hervor. Sie trägt die letzte Strophe eines Fest-Couplets vor. Alle lauschen verständnisinnig, Wormser scheint jedes Wort zu verschlingen.

AUGUSTE *singt zu dünner, unsichtbarer Klavierbegleitung*

»Darum, ihr Leib-husaren laßt
Euch feiern heut – als Ehrengast!
Wir ha-ben euch – bewundert viel,
In des Manövers hochgemutem Kampfesspiel.
Ihr seid – zwar nicht – die einz'gen hier –

Neckisch
Denn ich bin auch – ein großes Tier! –
Doch ich – bin von – der Infantrie –
Und reiten, reiten lernt ein Infanteriste nie!!«

Die Musikkapelle nimmt den Refrain auf. Allgemeines Klatschen und Bravo!
AUGUSTE *bedankt sich teils mit militärischem Grüßen, teils mit Kußhändchen nach allen Seiten, verschwindet dann, von drängenden Gratulanten herabgezogen, in den Saal.*
KESSLER *am Tisch, laut applaudierend* Bravo! Ganz famos! Wer hat denn den Text gemacht?
WORMSER *strahlend* Den Text? Den hatse selbst gedichtet, hab ich gar nichts von wissen dürfen! *Singt mit der Musik*

»Denn ich bin von der Infantrie,
und reiten, reiten lernt ein –«

Is das gut? Is das gut, was?

FRAU KESSLER Süß! Einfach puppig! Und wie reizend sie aussieht, in Uniform!

ASSESSOR Fabelhaft. Allen Respekt, Herr Wormser, Ihr Fräulein Tochter is ja perfekte Diva! Könnte glatt auftreten!

WORMSER Das hatse von Papa! Also ich hab in meiner Studikerzeit bei jeder Exkneipe was vorgetragen. Da hatten wir son Kunstmenschen bei, der sagte immer: Wormser, warum gehnse nich zum Theater, Sie hätten's dazu! Ich hab doch drei Semester Jura studiert, wir sind eigentlich Kollegen, Herr Assessor!

TRUMPP Löffele mich! *Trinkt.*

AUGUSTE *kommt atemlos, in großer Fahrt.*

WORMSER Na, da isse ja! Komm her, Goldchen, das haste fein gemacht!!
Küßt sie.

AUGUSTE Rasch mal'n Glas Sekt! Gott, is mir heiß!!

DIE ANDERN *klatschen.*

FRAU KESSLER Süß! Einfach puppig! In so'n Hauptmann könnt ich mich glatt verlieben!

KESSLER Aber, Milli! Sei doch nich so exzentrisch!

AUGUSTE *hat ein Glas Sekt heruntergestürzt, nimmt ein zweites* Nee, war ich aufgeregt! Wenn ich nich vorher schon ne halbe Flasche Schampus getrunken hätte, ich glaube, ich wär hängengeblieben wie 'n Schulkind!
Sie lacht schrill und unmotiviert.

WORMSER Gustchen, trink mal nich so schnell, du glühst ja! Das is 'n Temperament, nich?

AUGUSTE *setzt sich auf seinen Schoß* Papachen, du bist ja eigentlich 'n Goldkerl! Kinder, ihr seid ja alle so süß!

TRUMPP Sehr geehrt, beziehe das natürlich vor allem auf mich. Sehr zum Wohl, Fräulein Auguste!

AUGUSTE Prost, Trümppchen, sind 'n alter Filou! *Trinkt wieder.*

RITTMEISTER V. SCHLEINITZ *Herrenreitertyp, schneidig-nervös, betritt die Loge.*

WORMSER Sieh da, der Herr Rittmeister, das is recht, das freut mich, tretense näher, Willy, steh auf, wenn 'n Vorgesetzter kommt!!

V. SCHLEINITZ Um Gottes willen, bleiben Sie sitzen! Das hat er doch hier nicht nötig! *Zu Auguste* Mein gnädiges Fräulein – oder vielmehr – Herr Kamerad – darf ich Ihnen im Namen unserer sämtlichen Herren meinen Dank und meine Bewunderung aussprechen? Schneidig habense das gemacht!

AUGUSTE Na, und wie gefall ich Ihnen als Militär, bin ich besichtigungsreif, was? *Nimmt stramme Haltung ein.*

V. SCHLEINITZ Ich habe noch nie einem Kameraden von den Gardegrenadieren die Hand geküßt. *Tut's.*

DIE ANDERN *lachen.*

V. SCHLEINITZ Herr Wormser, ich möchte im Auftrag des Offizierskorps ein paar Worte sprechen, würden Sie mal ans Glas klopfen, bitte?

WORMSER Aber gern, aber reizend, Herr Rittmeister, aber wirklich reizend – *Er klopft ans Glas, ruft in den Saal* Silentium! Silentium strictissimus für Herrn Rittmeister von Schleinitz!

V. SCHLEINITZ *auf die Stufen tretend. Er spricht trotz der völligen Wirrnis seiner Sätze mit vollendeter Sicherheit und nobler Haltung* Meine Damen und Herren! Es ist mir ein Bedürfnis, nachdem soeben die Potsdamer Garde in so überaus reizender Weise, zum heutigen Kaisermanöverball der Sechsten Leibhusaren, ein Fest, das dies Jahr seitens der Potsdamer Bürgerschaft, durch unseren hochverdienten Herrn Kommerzienrat Wormser wirklich aufs entzückendste arrangiert hat. In diesem Sinne meine Damen und Herren, möchte ich im Namen des Offizierskorps der Sechsten Leibhusaren vor allem unsre reizende Vertreterin der Potsdamer Gardegrenadiere, aber auch sonst is es mir ein Bedürfnis, die Veranstalter des heutigen Abends, kurzum, ich bin ja kein Redner, sie leben hoch! hoch! hoch!

Tusch der Musik, Gläserklingen, Hochrufe.

89

WORMSER Herr Rittmeister, wundervoll! Einfach blendend! Und die Ruhe, mit der Sie so was machen! Darum beneid ich Sie! Also ich würd schwitzen!

V. SCHLEINITZ Ich will ja nich in Reichstag gewählt werden – ich bin ja schließlich 'n Reiter und kein Redner, nicht?

WORMSER Prosit, prosit!

Alle stoßen mit Schleinitz an. Im Saal beginnt Tanzmusik.

AUGUSTE *zu Schleinitz* Prost, Herr Kamerad, so könnt ich doch mal 'n Liebesmahl mitmachen, was, Herrgott, ich bin ja schon ganz beschwipst!!

V. SCHLEINITZ Steht Ihnen aber entzückend, son netter kleiner Spitz.

WORMSER Auguste, ich glaube es ist Zeit, daß de dich umziehst! Es war ja sehr nett, aber wir haben doch heute kein Maskenball.

FRAU KESSLER Ausgeschlossen! Erst muß se mit mir tanzen! Kommense, Gustchen, können Sie führen?

KESSLER Milli! Sei doch nich so exzentrisch!

AUGUSTE Natürlich wird getanzt, ich tanz doch soo gerne als Herr!

WORMSER Aber nur e i n e n Walzer, dann ziehste dich um!

AUGUSTE *mit der Musik trällernd* »Wo steht denn das geschrieben, man soll nur eine lie-ben...« *Zu Keßler* Gestatten, Herr Major! *Sie engagiert Frau Keßler, abgehend mit ihr zu Schleinitz* Darf ich Herrn Rittmeister für den nächsten Tanz vormerken? *Verschwindet im Saal.*

WORMSER *ihr nachrufend* Aber als Dame gefälligst! Erst ziehste dich um! Das Kind ist heute so ausgelassen!

V. SCHLEINITZ Is doch charmant. Und wie sie das Monokel hält, als wär's angewachsen.

WORMSER Ideen hatse, das muß ich selbst sagen.

V. SCHLEINITZ Wirklich ein besonders gelungener Abend, Herr Wormser. Der Kommandeur is in bester Stimmung, hat auch schon nach Ihnen gefragt.

WORMSER Hat er gefragt? Ich wer mal hingehn. Komm, Willy, ich stell dich dem Herrn Kommandeur vor, mach rasch, entschuldigen mich die Herrn 'n Moment!

v. SCHLEINITZ Aber bitte, gern!

WORMSER *mit Willy ab.*

v. SCHLEINITZ, TRUMPP UND KESSLER *bleiben allein, rücken zusammen.*

TRUMPP Na, Schleinitz, ma ran an Speck. Sie können's ja brauchen.

KESSLER Nich übel – die Kleine.

TRUMPP Rasse, Klasse – Kasse!

KESSLER Trotzdem, Schleinitz. Ich warne Neugierige. Reich heiraten macht faul, dann bleibt man an der Majorsecke kleben, wie Beispiel beweist.

v. SCHLEINITZ *mit feinem Lächeln* Schulden machen noch fauler, Herr Major.

WORMSER *kommt mit Willy zurück* Grad is er gegangen. Zu ärgerlich so was. Herr Rittmeister, ich darf damit rechnen, daß Sie mich Exzellenz empfehlen.

v. SCHLEINITZ Selbstverständlich, werde gebührend zu rühmen wissen.

WORMSER *zu Keßler* Übrigens die Damen tanzen wie toll. Auguste macht ja nur Witze, aber Ihre Frau fällt, glaub ich, 'n bißchen auf. Sie nehmens mir's nich übel, es is meine Pflicht, Herr Major.

KESSLER Ganz im Gegenteil, bin Ihnen sehr verbunden. Kommense, Schleinitz, tunse mir den Gefallen, wir wollen die Damen mal nett und leise clam heimlich um die Ecke bringen. Meine Frau ist immer gleich so exzentrisch.

v. SCHLEINITZ Ich werd sie einfach mitten im Tanz wegengagieren.

TRUMPP *zu Wormser* Und ich werde mich, wenn Sie gestatten, mal um Fräulein Tochter kümmern. *Alle drei ab in den Saal.*

WORMSER *zu Willy* Statt daß du dich mal 'n bißchen kümmerst. Überhaupt, wie sitzte wieder rum, schämen möcht man sich. Rauchen tuste nich, trinken tuste Selterswasser, tanzen tuste auch nich, was sollen die Leute von dir denken, 'n junger Mensch wie du, dem alles geboten wird. Vor sechs Jahren haste gedient, was biste heute noch? Gefreiter. Kein

Wunder, wenn de rumsitzt wie 'n Holzbock. Sei mal 'n bißchen aufmerksam gegen Herrn Rittmeister, das gehört sich
doch! Schenk ihms Glas voll, wenn er nichts mehr hat, biet ihm
Obst an, gib ihm Feuer, wenn er sich ne Zigarette nimmt.

AUGUSTE *stürzt ganz erhitzt in die Loge, fächelt sich mit der Mütze*
Luft zu, wirft sich auf einen Stuhl Kompott! *Zu Willy, der aus*
Versehen wie vor einem echten Offizier aufgesprungen ist Nee,
nich die Pfirsiche, da die Ananas, ich kann doch Pfirsiche nich
leiden, die sin immer so quabbelig. *Sie löffelt wild drauflos.*

WORMSER *hastig, während auf der Treppe schon Trumpp auftaucht*
Wie benimmste dich!! Is ja ne Schande! Was soll der Herr von
Schleinitz denken! Hätt ich nur den Blödsinn nich erlaubt!
Gib doch acht, tropp's nicht auf die gute Uniform!

AUGUSTE Gute Uniform is gut! *Zu Trumpp* Die hat er alt zu-
rückbekommen!

WORMSER Schwätz nich ausm Geschäft!!

AUGUSTE Vom Bürgermeister von Köpenick! *Lacht*

WORMSER Ne neue hätt ich ihr auch gar nich machen lassen,
wennse sich so benimmt!

AUGUSTE Ach, Kinder, ich bin in einer Stimmung, ich möchte
'n Damenregiment gründen und 'n Krieg anfangen!!

TRUMPP *hinter ihr* Unsinn, Auguste, heiraten mußte.

AUGUSTE *essend* Wen denn? Sie vielleicht? Oder Schleinitzen?

WORMSER Spott nich über Herrn von Schleinitz! Das is 'n groß-
artiger Mensch! Der zweitbeste Reiter in der Armee, hat Majestät seinen Trakehner vorgeritten und 'n Orden gekriegt!

AUGUSTE Ich find 'n ja süß.

V. SCHLEINITZ *kommt mit Frau Keßler, der Major hinter ihnen.*

FRAU KESSLER Herr Rittmeister, das muß ich sagen, Sie tanzen
wie Sie reiten.

AUGUSTE Ich hab aber auch gut geführt, nich?

FRAU KESSLER Wir zwei haben Furore gemacht!

AUGUSTE 'n bißchen Ananas gefällig? *Häuft sich und Frau Keßler*
Kompott mit viel Saft auf die Glasteller.

V. SCHLEINITZ *setzt sich neben Trumpp, leise* Das war 'n Stück
Arbeit, kann ich Ihnen sagen. *Nimmt eine Zigarette aus dem*
Etui – klopft sie nervös auf dem Handrücken.

WILLY *reißt hastig ein Streichholz an, hält es bereit.*

V. SCHLEINITZ *übersieht es, läßt die Zigarette sinken* Gestatten die Damen, daß ich rauche?

AUGUSTE Aber natürlich, wenn Sie gestatten, daß wir Kompott essen?

ALLE *lachen.*

V. SCHLEINITZ Also – auf Gegenseitigkeit! *Nimmt die Zigarette wieder auf.*

WILLY, *dessen Streichholz ausgegangen war, reißt ein zweites an, springt mit desperatem Eifer auf, um dem Rittmeister über den Tisch weg Feuer zu geben, dabei reißt er mit einem Sektkühler sämtliche Gläser, die Kompottschüsseln und Blumenvasen um. Alles ergießt sich auf die beiden Damen. Aufschreie, Kellner stürzen herbei, Verwirrung.*

WORMSER Willy, biste verrückt! Um Gottes willen, Kellner! Kellner!

FRAU KESSLER Mein Kleid! Meine Spitzen!

KESSLER Rasch heißes Wasser herbei!

ALLE *springen auf, die Herren tupfen mit Servietten sinnlos auf den begossenen Damen herum, Willy steht erstarrt.*

TRUMPP Das macht ja nischt, das macht ja nischt, das wird ja wieder abjewischt!

AUGUSTE *lacht hysterisch.*

WORMSER Lach nicht auch noch! Die schöne Uniform! Jetzt kannse zum Trödler.

AUGUSTE Da gehört se auch hin!
Dunkel.

Vierzehnte Szene

Personen: Friedrich Hoprecht, Marie Hoprecht, Wilhelm Voigt

Hoprechts Wohnstube in Rixdorf. Nachmittag. Die Uhr schlägt vier.

FRAU HOPRECHT *allein, am gedeckten Kaffeetisch. Sie stülpt einen Kaffeewärmer über die Kanne.*

Von draußen hört man das Geräusch des Korridorschlüssels, dann klappt die Tür.

FRAU HOPRECHT Da is er – *Nimmt den Kaffeewärmer wieder herunter, macht einen Schritt zur Tür.*

HOPRECHT *tritt ein, in Uniform, als Unteroffizier, ohne Feldwebelabzeichen. In der einen Hand trägt er einen kleinen Handkoffer, in der anderen den Säbel, wie vorher in Packpapier eingeschlagen* Tach, Marie.

FRAU HOPRECHT *verbirgt ihre Enttäuschung* Tach, Friedrich! *Küßt ihn rasch* Schön, daß de da bist. Ick hab schon jewartet.

HOPRECHT Ja, es hat 'n bißchen gedauert.

FRAU HOPRECHT Aber der Kaffe is noch janz heiß.

HOPRECHT *in Gedanken* Das is recht.

Er geht zu seinem Schrank, stellt das Köfferchen daneben auf den Boden, dann öffnet er, stellt den eingepackten Säbel in die Schrankecke, schließt den Schrank.

FRAU HOPRECHT *beobachtet ihn betreten. Dann gießt sie Kaffee ein* Komm, Friedrich, trink 'n Kaffe. Kuchen is auch.

HOPRECHT *setzt sich* Ja, dank schön. Es is schon gar nich mehr warm draußen. *Pause* Na, was is denn, Marie? Du bist ja so still.

FRAU HOPRECHT Du, ick muß dir wat sagen. – Det Liesken is dot. Aber erschrick nich.

HOPRECHT *starrt sie an* Was –?

FRAU HOPRECHT Reg dir nur nich auf, Friedrich. Et is ja nu nich mehr zu ändern.

HOPRECHT Was haste gesagt?

FRAU HOPRECHT Det Liesken is – aber janz leicht isse jestorben, Friedrich.

HOPRECHT So. Wann denn?

FRAU HOPRECHT Vorjestern, mitten in de Nacht. Wir dachten schon, sie hat sich jebessert, aber denn war's aus. Abends hat se 'n bißken schwer jeatmet, und denn isse einfach einjeschlafen. Der Willem hat bei ihr jesessen, die janze Zeit. Gar nich wech is er von ihr. Er sagt, in Schlaf hatse zuerst noch phantasiert; janz vergnügt warse.

94

HOPRECHT Son armes Ding.

FRAU HOPRECHT Jetzt is er mit zur Beerdigung. Ick konnte ja nich, wo du grade heimkommst. Das Jeschäft hab ick für ne Stunde jesperrt. – Iß doch was, Friedrich.

HOPRECHT Nee, danke – das Kommißbrot pumpt mich immer so voll. – Sonst alles in Ordnung?

FRAU HOPRECHT Ja, sonst allens. Im Jeschäft is flau.

HOPRECHT Na ja. – Du, Marie, ich muß dir übrigens auch was erzählen. Ich dachte nämlich – eigentlich – das heißt, ich war an der Reihe, von Rechts wegen. Ich hätte nun unbedingt rankommen müssen. Der Hauptmann hat selbst gesagt, er begreift es nicht.

FRAU HOPRECHT Was denn, Friedrich?

HOPRECHT Ach so. Ja, ich hätte gedacht, daß ich diesmal zum Vizefeldwebel befördert werde. Zum überzähligen natürlich, das hätte auch von Rechts wegen so sein müssen. Ich wollte dich da überraschen mit, deshalb hab ich nie was gesagt.

FRAU HOPRECHT Na und, Friedrich?

HOPRECHT *etwas gereizt* Na und? Na und! Es is eben nichts geworden. Da is sone neue Verfügung rausgekommen, irgend sone Etatsverkürzung von oben herunter, genau weiß ich's selbst nicht, es hat sich keiner recht ausgekannt. Die aktiven Militäranwärter kommen zuerst, und von den Reservisten dürfen's nur soundso viele sein, das ging dann nach dem Datum des Dienstantritts, kurzum, ich war nicht dabei.

FRAU HOPRECHT Da kannst du doch aber gar nichts für, Friedrich.

HOPRECHT Natürlich kann ich nichts für. Aber darauf kommt's ja nu gar nicht an! Ich meine nur, daß so was immer nach Bestimmungen geht, nachm Papier, und nicht nachm Verdienst, nachm Menschen! Das hat unser Hauptmann auch gesagt. Na, nu kann man nichts machen.

FRAU HOPRECHT Das ist aber schade. Das is nu wirklich 'n Malör.

95

HOPRECHT Ach was! Die Hauptsache is, daß man gesund bleibt. Ich kann auch so leben – das arme Wurm nicht. Son junges Ding – son junges –

FRAU HOPRECHT Vielleicht is so besser für se.

HOPRECHT *zuckt die Achseln* Das weiß man nicht. Das einzige, was man genau weiß, ist, daß jeder am Leben hängt.

FRAU HOPRECHT *nach einer Pause* Ich muß mal 'n Sprung ins Jeschäft runter. Jetzt kommen ja noch welche. *Sie geht zu ihm hin – nimmt plötzlich seinen Kopf* Schön is, Friedrich, daß de wieder da bist. Nich?

HOPRECHT *preßt einen Augenblick den Kopf an sie* Ja, Marie. – Es könnte ja auch mal Krieg kommen, da muß man vielleicht ganz wech.

FRAU HOPRECHT Friedrich, sag so was nich!

HOPRECHT *lacht ein wenig* Na, geh mal in dein Geschäft. Ich zieh mich um.

FRAU HOPRECHT Mach dir's bequem, Friedrich. *Ab.*

HOPRECHT *bleibt noch einen Augenblick stumm sitzen, dann steht er auf, geht ins Schlafzimmer. Die Tür läßt er angelehnt. – Von draußen hört man das Geräusch des Korridorschlosses und der Flurtür. Dann tritt ...*

VOIGT *ins Zimmer. Er ist blaß, seine Augen haben ein überwaches, flackriges Licht. Er trägt einen schwarzen Anzug von Hoprecht, der ihm etwas um die Gestalt schlottert. An der Tür bleibt er kurz stehen, starrt in die Stube.*

HOPRECHT *kommt aus dem Schlafzimmer; die Uniform hat er aufgeknöpft, überm Arm hält er seinen Zivilanzug, in der Hand Hausschuhe. Auch er bleibt ähnlich wie Voigt kurz in der Tür stehen. Dann geht er zu Voigt hin* Komm rein, Willem, guten Tach. Is das Begräbnis schon rum?

VOIGT Ja, det is rum. Tach, Friedrich. *Gibt ihm die Hand.*

HOPRECHT Das hätte auch keiner gedacht – daß das so rasch geht. Wir haben doch immer 'n Arzt gehabt, und alles getan.

VOIGT *fast hart* Det is nu vorbei.

HOPRECHT Stimmt. Lamentieren hat kein Zweck. Das macht se nich wieder lebendig.

VOIGT Ich hab dein schwarzen Anzug jenommen. Meiner war zu schäbig. Du hast wohl nichts gegen. Ick zieh'n gleich aus.

HOPRECHT Das eilt ja nich. Trink mal'n Kaffee, da steht noch.

VOIGT Nee, danke. *Er geht in die Ecke hinterm Sofa, wo sein Paket liegt und sein Anzug über einem Stuhl hängt. Dann dreht er sich um – lächelt* Na und, Friedrich? Zeig mal, wo sind de großen Adlerknöppe und de Silberkokarden?

HOPRECHT *fast flüchtig im Ton* Das hat sich zerschlagen. Das, das war 'n Irrtum von mir. Es dürfen jetzt nich mehr so viele sein, nach der neuen Etatskürzung.

VOIGT Du warst aber doch an der Reihe. Det war doch dein Recht.

HOPRECHT Na ja, eigentlich schon. Es is aber nu ne neue Verfügung raus. Reden wir nich mehr von, is nich so wichtig.

VOIGT Wichtig. Wichtig is gar nichts, dazu is de Welt zu groß. Aber richtig, richtig soll's zugehn. Was richtig is, ick meine, wat Recht is, det sollt auch Recht sein! Nich!?

HOPRECHT Recht is, was Gesetz is, Willem. Es geht ja nicht nach dem, was einer möchte, es is ja für alle da. Das is es, Willem.

VOIGT Und wenn einer kaputtjeht bei, denn is er alle. Da hilft 'n kein Recht mehr, und kein Jesetz.

HOPRECHT Wenn 'n Soldat fällt, Willem, denn fällt er eben. Gegens Letzte is kein Kraut gewachsen. – Aber bei uns kommt immer noch jeder zu Seinem.

BEIDE *haben begonnen, sich umzukleiden.*

VOIGT Amen.

HOPRECHT Was is?

VOIGT *freundlich, ohne Spott* Det haste vergessen. Sone Sätze hörn immer mit Amen auf. Der Pastor aufn Friedhof hat janz was Ähnliches jewußt.

HOPRECHT Ich versteh dich nicht.

VOIGT Is auch nich nötig. Laß dir man nicht stören. Ick zieh mir nur um – und denn jeh ick.

HOPRECHT Wohin denn?

VOIGT *zuckt die Achseln.*

HOPRECHT Ja wieso – du willst doch nich fort, Willem?

97

VOIGT Darnach is nich gefragt. Ick muß fort.

HOPRECHT *macht einen Schritt auf ihn zu.*

VOIGT *holt mit einer gleichsam abwehrenden Bewegung das Papier aus seiner Tasche, wirft's auf den Tisch* Lies man.

HOPRECHT *liest* Ausweisung – ja Herrgott, Willem, haste denn keine Eingabe gemacht?

VOIGT Zweie. Abschlägig beschieden. Für die erste hattense kein Interesse, für die zweite keene Zeit.

HOPRECHT *ratlos* Ja – wo willste denn hin, Willem?

VOIGT *lacht sonderbar* Jarnirgends.

HOPRECHT Mensch – du wirst mir doch keine Dummheiten machen!!

VOIGT Ausjeschlossen. Dummheiten – ausjeschlossen. Ick wer nu langsam helle.

HOPRECHT Du mußt natürlich sehn, daß du in einem andren Bezirk 'n Aufenthalt kriegst – oder du mußt um 'n Paß einkommen, bei deiner Heimatbehörde.

VOIGT Danke. Det kenn ick schon.

HOPRECHT Ja, was willste denn sonst – was willste denn anfangen?!

VOIGT Mach dir man keine Sorjn. Is nich so wichtig. *Lacht wieder leise.*

HOPRECHT Lach doch nich immer! Die Sache is doch ernst!

VOIGT Ick finde dat lustig. Dir hamse nich befördert – mir befördernse. Jedem dat Seine. Nich?

HOPRECHT Sei doch still!! Willem, du fährst aufn ganz falschen Gleis! Wenn so was is, denn, denn müssen besondere Gründe sein, das is halt 'n Unglück, Willem, was dir passiert!

VOIGT 'n Unglück? Nee. Da is kein Glück bei, und is auch kein Unglück bei. Det is janz 'n sauberes glattes Unrecht is det. Aber reg dir man nich auf, Friedrich. Et jibt mehr Unrecht auf de Welt, scheenes ausjewachsenes Unrecht. Det muß man nur wissen. Ick weiß nu.

HOPRECHT Gar nichts weißte! Pech haste! Det is es! Wenn det so wär, wie du sagst – denn gäb's ja kein Treu und Glauben mehr auf de Welt! So darfste mir nich fort, Willem. So kommste nich weiter. Du mußt das tragen – wie 'n Mann.

98

VOIGT Tragen – det bin ick jewohnt, Friedrich. Det macht mir nichts. Ich hab 'n breiten Puckel, da jeht 'n Packen ruff. Aber – wohin soll ick's tragen, Friedrich! Det is die Frage! Wo soll ick denn hin mit!? Ick hab ja keen Aufenthalt, für mir gibt's ja keen Platz uff de Erde, da könnt ick höchstens in de Luft steigen, nich?

HOPRECHT Nich in de Luft, Willem! Zurück aufn Boden, Mensch! Wir leben in 'n Staat – und wir leben in ne Ordnung – da kannste dir nich außerhalb stellen, das darfste nich! So schwer's auch hält – da mußte dich wieder reinfügen!

VOIGT Wo rein? In Staat? In ne Ordnung? Ohne Aufenthalt? Und ohne Paß?

HOPRECHT Einmal kriegste's doch! Einmal kommste doch wieder rein!

VOIGT So – und wat soll ick drinnen? Wat hilft et mir denn? Da wer'ck noch lange kein Mensch von!

HOPRECHT 'n Mensch biste überhaupt nur, wenn du dich in ne menschliche Ordnung stellst! Leben tut auch ne Wanze!

VOIGT Richtig! Die lebt, Friedrich! Und weißte, warum se lebt? Erst kommt de Wanze, und dann de Wanzenordnung! Erst der Mensch, Friedrich! Und dann de Menschenordnung!

HOPRECHT Du willst dich nich unterordnen, das isse's! Wer 'n Mensch sein will – der muß sich unterordnen, verstanden?!

VOIGT Unterordnen. Jewiß! Aber unter wat drunter?! Det will ick janz jenau wissen! Denn muß de Ordnung richtig sein, Friedrich, det isse nich!

HOPRECHT Sie is richtig! Bei uns is richtig! Schau dir ne Truppe an, in Reih und Glied, denn merkste's! Wer da drin steht, der spürt's! Tuchfühlung mußte halten! Dann biste'n Mensch – und dann haste ne menschliche Ordnung!

VOIGT Wennse man nur keen Loch hat! Wennse man nur nich so stramm sitzt, daß de Nähte platzen! Wenn da man nur nichts passiert, Mensch!

HOPRECHT Bei uns nich! Bei uns in Deutschland, da is 'n fester Boden drunter, da is kein hohler Raum zwischen, da kann nichts passieren! Anderswo vielleicht, wo det Jebälke faul is –

da vielleicht! Sagen wa mal: in Rußland zum Beispiel, da habense die Bestechlichkeit der Behörden, habense da – und denn die Muschiks, det sind nämlich Analphabeten, die wissen noch nich mal wie se heißen – und denn die Lasterhaftigkeit der höheren Kreise, und denn die Studentinnen, un det ganze schlechte Beispiel! Da kann was passieren, Willem, da is Bruch! Verstehste?! Bei uns is alles jesund von unten auf – und was jesund is, det is auch richtig, Willem! Det is auf Fels jebaut!

VOIGT So? Und woher kommt denn det Unrecht? Kommt det janz von selbst?

HOPRECHT Bei uns gibt's kein Unrecht! Wenigstens nicht von oben runter! Bei uns geht Recht und Ordnung über alles, das weiß jeder Deutsche!

VOIGT So? Un deine Beförderung, is det Recht und Ordnung? Und mein Aufenthalt, is det Recht und Ordnung?

HOPRECHT Du drehst alles um, Willem! Du hast doch zuerst jeschlagen, widers Recht, und denn hat's dich jetroffen! Und das mit der Beförderung, das muß eben sein! Da gibt's keine Beschwerde drüber! Die kriegen im Reichstag de Hölle heiß jemacht, wegen de Wehrvorlage und 'n Heeresetat, denn müssense 'n Etat kürzen, und denn trifft et eben mich, det is nu mal so, könnt jedem andren auch passieren! Wat is denn schon einer, gegens Ganze jenommen?! Für det Geld, wat se an Löhnung sparen, da wird vielleicht ne Kanone jebaut!

VOIGT Und denn jeht se los – un denn trifft et wieder dich! Bumm-bumm, da liechste!

HOPRECHT Jawoll, da liech ick, wenn's man losjeht! Und denn weiß ick auch, wofür! Fürs Vaterland, und für de Heimat!!

VOIGT Mensch, ick häng an meine Heimat jenau wie du! Jenau wie jeder! Aber se sollen mir mal drin leben lassen, in de Heimat!! Denn könnt ick auch sterben für, wenn's sein muß! Wo is denn de Heimat, Mensch? In 'n Polizeibüro? Oder hier, ins Papier drinnen?! Ick seh ja gar keene Heimat mehr, vor lauter Bezirke!!

HOPRECHT Ich will's nich mehr hören, Willem! Ich darf's nich mehr hören – ich bin Soldat! Und ich bin Beamter!! Das bin ich mit Leib und Seele, da steh ick für! Ich weiß, daß bei uns das Recht über alles geht!

VOIGT Auch übern Menschen, Friedrich! Übern Menschen, mit Leib und mit Seele! Da jeht et rüber, und denn steht er nich mehr uff.

HOPRECHT Du hast nich jedient, Willem! Du kennst et nich! Wenn de wüßtest, wie unsre Offiziere sind, da mag mal so 'n junger Schnösel bei sein, jewiß – aber die andren! De richtigen, Mensch! Da jehn wir durchs Feuer für, und det machen die auch für uns, da is jeder für jeden!

VOIGT Und det Janze?! Det Janze, Friedrich, für wem is det?! Wat steht hinter, Friedrich, 'n Gott oder 'n Teufel?! Nee, mir hamse zu lang jepufft, mir hamse nu wachjekriegt, da jibt's keen Pennen mehr, ick will det nu janz jenau wissen!!

HOPRECHT Ick sag dir zum letztenmal: reinfügen mußte dich! Nich mängeln gegen! Und wenn's dich zerrädert – denn mußte det Maul halten, denn jehörste doch noch zu, denn biste 'n Opfer! Und det is 'n Opfer wert!! Mehr kann ick nich sagen, Mensch! Haste denn keine innere Stimme, Willem? Wo sitzt denn bei dir det Pflichtgefühl?!

VOIGT Vorhin – aufn Friedhof – wie de Brockn aufn Sarch runterjekullert sind – da hab ick's jehört – da war se janz laut, war se –

HOPRECHT Wer? Was haste jehört?

VOIGT De innere Stimme. Da hatse jesprochen, du, und da is alles totenstill jeworden in de Welt, und da hab ick's vernommen: Mensch, hatse jesagt – einmal kneift jeder 'n Arsch zu, du auch, hatse jesagt. Und denn, denn stehste vor Gott dem Vater, stehste, der allens jeweckt hat, vor dem stehste denn, und der fragt dir ins Jesichte: Willem Voigt, wat haste jemacht mit dein Leben? Und da muß ick sagen – Fußmatte, muß ick sagen. Die hab ick jeflochten im Jefängnis, und denn sind se alle druff rumjetrampelt, muß ick sagen. Und zum Schluß haste jeröchelt und jewürcht, um det bißchen Luft, und denn war's aus. Det sagste vor Gott, Mensch. Aber der sagt zu dir: Jeh wech! sagt er! Ausweisung! sagt er! Dafür hab ick dir det Leben nich jeschenkt, sagt er! Det biste mir schuldig! Wo is et? Wat haste mit jemacht?! *Ganz ruhig* Und denn, Friedrich – und denn is et wieder nischt mit de Aufenthaltserlaubnis.

HOPRECHT Willem – du pochst an de Weltordnung – dat is ne Versündigung, Willem! Det änderste nich, Willem! Det änderste doch nich!!

VOIGT Det will ick auch nich. Det will ick nich, Friedrich. Det könnt ick ja nich, da bin ick viel zu alleine für... Aber so knickerich, verstehste, möcht ick mal nich vor mein Schöpfer stehn. Ick will ihm nichts schuldig bleiben, verstehste? Ick wer noch was machen mit.

HOPRECHT Du pochst an de Weltordnung, Willem.

VOIGT Ausjeschlossen. Det wär ne Dummheit, det mach ick nich. Nee, Friedrich, da mach dir man keene Sorjn. Ick wer mir nur mal 'n bißken ranhalten, wer ick. Was de andern können, det kann ick noch lange. *Lacht.*

HOPRECHT Willem, wat haste denn vor? Wat willste denn anfangen, Mensch! Sprich dich doch aus, Willem – also ich hab dich gewarnt!!

VOIGT *hat inzwischen sein Paket verschnürt, setzt den Hut auf* Is gut, Friedrich. Du bist 'n echter Kerl. Da, dein Anzuch hab ick übern Stuhl jehängt. Marie wird 'n klopfen. *Geht auf ihn zu, gibt ihm die Hand, die Hoprecht zögernd nimmt* Adieu, Friedrich, Dank dir für alles. *Ab.*

HOPRECHT *klammert sich mit den Händen an eine Stuhllehne* Der Mensch – der Mensch is ja gefährlich!!
Dunkel.

Dritter Akt

Fünfzehnte Szene

Personen: Krakauer, Wilhelm Voigt

Krakauers Kleiderladen in der Grenadierstraße. Dumpfes fensterloses Lokal, mit Kleidungsstücken aller Art vollgestopft. Stufen zur Straße. Gemalte Schilder mit Inschriften: »Kleider machen Leute« – »Elegante Herrenkonfektion, billige Wintermäntel« – »Kostüme und Masken, Verkauf und Verleih« – »Hier werden getragene Kleider zu Höchstpreisen angekauft«. *Hinterm Ladentisch Krakauer, sagenhafte Ghettogestalt, Wilhelm Voigt bedienend.*

KRAKAUER Kennse haben! Kennse haben!! Ne neie, ne noble, ne extrafeine, se hängt vor de Tier im Straßenstand, da staun sich de Leite und sin geblendet vonneme solchene Glanz.

VOIGT Ick habse jesehn. Deshalb komm ick ja runter.

KRAKAUER Sally! Sal-ly! Bring de neie feine Uniform! Die is nobel, mein Herr, die is haltbar, die is auch echt!

VOIGT Ick brauchse fiern Maskenball.

KRAKAUER Ihre Sache, mein Herr, Ihre Sache! Bei uns in de Grenadierstraße kennse alles haben, da fragtse keiner wozu. *Sally mit der Uniform* Da, schaunse sich an, den Glanz, die Nobleß, das Material, das teire Tuch, de seidne Fitterung, den roten Kragen, de blanken Kneppe – isse's nich e Wunder? Ihnen gesagt: es isse Wunder. Wenn die Uniform kennt allein spazierengehn, ohne daß einer drinsteckt – ich sag Ihnen, jeder Soldat wirdse grießen, so echt isse!

VOIGT *ist einen Schritt zurückgetreten, starrt fasziniert auf die Uniform. Dann dreht er sich weg, schüttelt den Kopf* Ick weiß nich – ob ick soll.

KRAKAUER Se wissen nich? Wer ich Ihnen was sagen: Ich weiß! Ich weiß was für Sie: nehmense was andres! Missense gehn als Hauptmann? Aufn Maskenball, da will man sich amüsieren. Als Hauptmann wernse sich nich amüsieren, da wird man se gleich erkennen, wird ma sagen: so sieht e Hauptmann nich aus. Hörense auf mich: – nehmense was Historisches. Da hätt ich de scheensten Sachen.

VOIGT Wat Historisches kann ick nu gar nich brauchen.

KRAKAUER Mein Herr: wenn man will 'n guten Eindruck machen, is immer besser: was Historisches. E römischer Feldherr, oder e Nürnberger Henker, oder e altertümlicher französischer Louis, hab ich alles auf Lager. Wollense nich? Muß es 'n Offizier sein? Se haben recht, e Offizier hat immer recht. Gehnse als Reitergeneral vom Alten Fritze, das wär was für Ihre Figur! Potsdam is Mode – Potsdam is immer sehr beliebt! War ich am Sonntag hingewesen, in Potsdam, mit mein Sally und mit seine Braut, de Lea. Wollten mer rein ins Schloß, sagt der Goy am Eingang: Se kennen nich rein, da sin Offiziere drin, da störnse, de Herren wollen so was nich sehn. Nebbich, hab ich gesagt, was soll e Jied im Schloß? Hab ich mer de historische Windmühle angesehn, is auch scheen.

VOIGT *interessiert* In Potsdam sin immer viel Offisiere, nich?

KRAKAUER Mehr wie se ungefrihstickt vertragen kennen. Na, un wie wär's mitn scheenen Pierrot, ich hätt ein in Weiß mit lila Bollen, oder 'n Maharadscha, oder 'n schicken Kaubeu oder 'n Bur mitn Schlapphut?

VOIGT Nee, nee. Ick nehmse doch. *Nimmt die Uniform vom Bügel.*

KRAKAUER Gemacht!! Das is e Wort! Recht hamse, Herr Hauptmann! 'n Offisier is doch immer das Scheenste, hab ich recht?

VOIGT Da sin aber ne Menge Flecken druff, uffn Rock.

KRAKAUER Flecken? Das sin Schampanjerflecken, riechense mal dran, das kennse noch riechen, so feine Flecken, das sin überhaupt keine Flecken, Sally, hol 'n Päckchen Fleckkugeln nebenan vom Kemnitzer, die kriegt der Herr Hauptmann umsonst zugeliefert.

VOIGT *mustert sachverständig die Uniform* Uff de eine Achselklappe fehlt ja 'n Stern! Als Hauptmann, da hab ick zwee Sterne, sonst wär's ja 'n Oberleutnant. Un de Gardelitzen sin janz verschabt an Rand.

KRAKAUER 'n Stern kennse extra haben, un de Litzen lassense sich e bißjen säumen, zu Haus von de Frau Hauptmann oder de junge Töchterlich.

VOIGT Was soll's denn kosten?

KRAKAUER Kosten? Das kann ma nich kosten nennen, Herr Hauptmann, das is e Gelegenheit, das is e freidige Iberraschung, das sin überhaupt keine Kosten, für mich sin's Unkosten, für Sie isse's e Kapitalsanlage: e Zwanzigmarkstickelchen!

VOIGT *legt die Uniform hin* Nee.

KRAKAUER Achtzehn! Siebzehn, Herr Hauptmann, siebzehn is e Wort!

VOIGT Fuffzehn. Da mißt ick aber noch ne Feldbinde zukriegen, und de Mütze und 'n paar Anschnallsporen. 'n Säbel auch, zum Unterschnallen.

KRAKAUER Herr Hauptmann! Herr Hauptmann, se bringen Jammer un Armut iber mein Haus! Redense nich, ich gebse Ihnen fir fuffzehn, weil Sie's sin, aber firn Säbel un fir de Sporen missense noch drei Mark zulegen, dafier kriegense de Fleckkugeln umsonst und de scheene Pappschachtel und ne Schnur drum, da werden noch Ihre Urenkel de Wäsche drauf trocknen. Wollense nich lieber 'n Helm? Fier zwei Mark kriegense noch 'n Helm, das is kleidsam, das sieht nach was aus.

VOIGT Nee. Danke. De Mütze tut's auch. 'n Helm rutscht immer. Habense auch 'n grauen Offiziersmantel?

KRAKAUER Nich vorrätig, kennt ich Ihnen besorgen in einem Tag.

VOIGT Ich brauch'n sofort. Ich kann nich länger warten.

KRAKAUER Dann fragense mal um de Ecke beim Kemnitzer, das is e Geschäftsfreund von mir. Was ich nich hab, hat er, und was er nich hat, hab ich, hammer uns geeinigt und machen zusammen auf zehn Prozent, kriegt keiner e Roches aufn andern. Soll ich 'n Säbel gleich zupacken?

VOIGT Zeigense mal her, hat er 'n Gardestern?

KRAKAUER Herr Hauptmann denken an alles. Bitt scheen, Herr Hauptmann: Marke I a mitn Stern.

VOIGT Is gut. Mal rasch alles einpacken. Die Fleckkugeln gleich zu.

KRAKAUER *packt mit Sally in gewohnheitsmäßiger Eile ein* Zu Befehl, Herr Hauptmann: ich legse Ihnen zusammen, Sie brauchense nich aufzebiegeln. Darf ich um Kassa bitten, Herr Hauptmann?

VOIGT Hier, hamse achtzehn Mark. Verdammt teuer Ihr Geschäft.

KRAKAUER Danke, Herr Hauptmann, wennse wieder was brauchen. Ich sag Ihnen: Se haben nich gekauft, se haben geerbt.

VOIGT So, gebense her. *Will gehen.*

KRAKAUER *vertritt ihm den Weg* Herr Hauptmann! 'n Moment, Herr Hauptmann! Wollen se nich de Frau Hauptmann was mitbringen fiern Maskenball, e hibsche Larve, 'n seidnen Domino –

VOIGT Haltense mich nicht auf! – Ich muß in Dienst! *Geht.*

KRAKAUER Adjeh, Herr Hauptmann, viel Vergnügen, Herr Hauptmann!! – Auch e Hauptmann!!
Dunkel.

Sechzehnte Szene

Personen: Spaziergänger, Wilhelm Voigt

Allee mit Bank im herbstlichen Park von Sanssouci. Ausblick aufs Schloß. Oktobersonne. Manchmal ferne Drehorgeltöne, in der Luft verweht.

VOIGT *sitzt auf der Bank in der Sonne. Neben ihm liegen sein Hut und die verschnürte Pappschachtel. Er sitzt aufrecht mit verschränkten Armen und beobachtet die Vorübergehenden mit stiller Wachsamkeit.*

ZWEI JUNGE LEUTE *kommen von der Seite.*

DER ERSTE Du, diese langen graden Alleen machen mich immer ganz stolz.

DER ZWEITE Worauf denn?

DER ERSTE Ich weiß nicht, ich glaube, auf den menschlichen Geist, aber ich meine wohl etwas anderes. *Gehen weiter.*

EIN ALTER HERR *kommt mit steifem Stelzgang. Alle zwei Schritte bleibt er stehen, räuspert sich martialisch und spuckt aus.*

EIN ANDERER HERR *mit weißem Bart, begegnet ihm* Tag, Herr Oberst! Auch mal wieder draußen?

OBERST Tach, Herr Geheimrat. Was soll man machen. Muß doch 'n bißchen Bewegung haben.

GEHEIMRAT Jaja, ein schöner Herbst. So ein Spaziergang ist ein Stück Gesundheit.

OBERST *spuckt aus* Scheußlich. Die verdammten Bronchien.

GEHEIMRAT Sie rauchen zuviel, Herr Oberst. Nehmen Sie ein Lakritz?

OBERST Nee, danke. Süßes Zeug zum Kotzen. Ich nehme Emser Pastillen.

GEHEIMRAT Das ist auch sehr empfehlenswert. Gute Besserung, Herr Oberst.

OBERST Danke, danke. Hat keenen Zweck mehr, kratze nächstens ab.
Geht.

GEHEIMRAT Na, na, na. *Geht.*

ZWEI JUNGE KINDERMÄDCHEN, *die eine schiebt einen Kinderwagen, die andre geht schlenkernd nebenher. Voraus laufen zwei sehr kleine Knaben in bunten Offiziersuniformen, der eine als kompletter Husar, der andre als Kürassier maskiert. Das Husar haut mit einem Kindersäbel Zweige von den Büschen, der Kürassier galoppiert auf einem Steckenpferd. Ein kleines Mädchen mit Haarschleife trippelt trübsinnig hinterher.*

DIE ERSTE Ich sage einfach, meine Mutter ist krank, da kann ich am Nachmittag weggehn. Aber um neun muß ich wieder zu Hause sein.

DIE ZWEITE Das is dumm. Da geht's ja erst richtig los.

DIE ERSTE Vielleicht kann ich sagen, ich habe den Zug versäumt. Walthari, willst du den Schmutz nich aufheben, das is ja Hundedreck! – Son Stuß, den Jungen Walthari zu nennen. Aber wenn ich Walter sage, macht se Krach.

DIE ZWEITE So sinse.

DIE ERSTE *deutet in den Kinderwagen* Die da heißt Fredegundis.

BEIDE *lachen.*

WALTHARI *bombardiert Voigt mit Kastanien.*

DIE ERSTE Läßt du den Mann gehn! Ungezogener Junge! Gleich setzt's ne Backpfeife.

WALTHARI *streckt ihr die Zunge heraus. Der Kürassier galoppiert johlend im Kreis.*

DIE ERSTE Warte nur, ich sag's Vatern, denn gibt's mit de Reitpeitsche.

DIE ZWEITE Ich geh nächst Jahr in ein Modehaus. Ich lerne schon drauf.

DREI JUNGE OFFIZIERE *kommen in lebhaftem Gespräch von der andern Seite.*

DER ERSTE Kriegsschule? Kriegsschule is Mumpitz, so was könnense nur in der aktiven Felddienstübung rauskriegen.

DER ZWEITE Hörnse mal, Herr, die kartographische Spezialabteilung –

DER ERSTE Mumpitz! Alles Papier! Sieht ja im Ernstfall alles ganz anders aus.

DER DRITTE Ich sage auch immer: die Herrn vom grünen Tisch – *Unterbricht sich* Donnerwetter! *Sieht die Mädchen an.*

ALLE DREI *lachen leise, räuspern sich, drehen sich im Weitergehen mehrmals um, verschwinden.*

DIE MÄDCHEN *sind auch verstummt, errötet, die eine dreht sich verstohlen um, dann schaun sie sich an, brechen in erregt gackerndes Gelächter aus.*

DIE ERSTE Der Blonde! Der Blonde war schneidig!

DIE ZWEITE Nee, nee, der Blasse mit der Narbe, das war ein interessanter Mensch.

DIE ERSTE Was du immer mit den Interessanten hast.

WALTHARI *hat dem galoppierenden Kürassier ein Bein gestellt. Der fällt in den Dreck, brüllt.*

DIE MÄDCHEN *weitergehend, schimpfen und dreschen jede auf ihren Bengel ein* Wollt ihr sofort, Lausebengels, unverschämter Knabe, geschieht ihm ganz recht. Heulsuse, Waschlappen, Rotznase, jetzt kommst du hierher, ich sag's zu Hause, gib das Ding her!

DIE ERSTE *reißt das Steckenpferd an sich, legt's auf den Kinderwagen* Man sollte gar nicht mit euch spazierengehn, ihr seid es nicht wert.

Sie gehen, die heulenden Kavalleristen hinterher, auch das kleine Mädchen flennt, Geplärr aus dem Kinderwagen. Ab.

ZWEI ÄLTERE OFFIZIERE *in Uniform, kommen aus der gleichen Richtung wie vorher die jungen.*

DER ERSTE Nein, Herr Kamerad, die Marokkokrise, und der Balkan, das ewige Pulverfaß. – Wenn's mal hochgeht, dann stehn wir da mit unsrer ungedienten Ersatzreserve.

DER ZWEITE Verzeihung, Herr Kamerad, Sie unken, seit ich Sie kenne. Is ja ganz ausgeschlossen, denkt doch in Europa heutzutage kein Mensch ernsthaft an Krieg.

DER ERSTE Das ist ja das Unglück, Herr Kamerad, daß keiner ernsthaft dran denkt! Man sollte daran denken – um es zu verhüten!

DER ZWEITE Ausgeschlossen, Krieg is Wahnsinn. Denkense mal an die neuen weittragenden Dinger. Da wäre ja in vierzehn Tagen alles futsch. Nee, nee, Wilhelm bleibt Friedenskaiser.

DER ERSTE Ich traue dem Frieden nicht, Herr Kamerad. Ich höre öfters donnern. Hören Sie nichts? Es liegt was in der Luft.

DER ZWEITE Das sind ja – wie nennt man das – Halluminationen.

DER ERSTE *lächelnd* So ähnlich, Herr Kamerad. So ähnlich. *Gehen weiter.*

EIN INVALIDE *humpelnd, mit Ordensband, stockert herbei, sieht Voigt an, kommt auf ihn zu.*

DER INVALIDE Aha, auch 'n Veteran, was?

VOIGT So ähnlich, Herr Kamerad. So ähnlich.

INVALIDE *kichert, tippt auf die Pappschachtel* Sind wohl 'n Neuer, stimmt's? Einzug ins Invalidenhaus, was? Miserables Essen, sag ich ihnen. Faule Versorgungskiste. Oder sinse vom Beamtenruhestandsverein? Da is besser.

VOIGT *ernsthaft* Nee nee. Ich bin im Dienst.

INVALIDE Im Dienst? *Lacht* Im Dienst is gut. Son Dienst laß ich mir gefallen. *Weitergehend* Schlechtes Essen bei uns! Miserables Essen. – Gebense acht, daß Se sich nich verkiehlen. *Ab.*

DIE JUNGEN LEUTE *kommen zurück.*

DER ERSTE Die Blätter!! Der rote Ahorn! Das Moos in den Rinden! –

DER ZWEITE *deklamiert* »der reinen wolken unverhofftes blau!«

DER ERSTE Komm! Wir rennen zum See! *Faßt ihn um die Schulter, beide ab.*

ZWEI ALTE DAMEN *erscheinen, in Potsdamer Nationaltracht, mit schwarzen Schals und Kapotthüten.*

DIE ERSTE Man könnte sich grade noch ein bißchen setzen, eh's Abend wird.

DIE ZWEITE Es ist ja besetzt.

VOIGT *steht auf, legt militärisch grüßend die Hand an die Schläfe – nimmt seine Sachen auf.*

DIE ERSTE DAME Oh, Sie sind sehr liebenswürdig.

VOIGT *verbeugt sich, geht.*

DIE DAMEN *setzen sich.*

DIE ZWEITE Bei jungen Leuten findet man heutzutage leider solche Höflichkeit nicht mehr.

DIE ERSTE Ja, ja, die alte Schule.
Dunkel.

Siebzehnte Szene

Personen: Zwei Bahnbeamte, ein Dienstmann, Wilhelm Voigt

Berlin, Schlesischer Bahnhof. Man sieht ein Stück der Halle mit Abfahrts- und Ankunftstafeln. Rechts ein Gang mit Abort. Aufschrift: »Männer«. Zwei Türen, auf der einen steht »PP«, auf der andern

»WC«. *Diese Tür ist mit einer automatischen Schließvorrichtung versehen. Frühe Morgenstunde. Der Bahnhof ist menschenleer.*

WILHELM VOIGT *mit der Pappschachtel in der Hand, kommt durch die Halle. Geht stracks zum Abort, wirft einen Groschen in den WC-Automaten, verschwindet.*

EIN DIENSTMANN *schlendert gähnend vorbei.*

ZWEI BAHNBEAMTE *kommen von der Seite.*

DER ERSTE *zum Dienstmann* Kein Betrieb, Henke, was?

DER DIENSTMANN So früh reist keener. *Verschwindet.*

DER ZWEITE *in einem Gespräch fortfahrend* Sehnsemal, ihr glaubt immer, das is ein Steckenpferd von mir, das is aber kein Steckenpferd, das hab ich mir alles genau ausgerechnet. Unser Berliner Eisenbahnkopfnetz läuft in acht Hauptrichtungen auseinander. Außerdem aber haben wir achtzehn Nebenrichtungen für die Kleinbahnen und die Vororte. Nun denkense nur mal nach: fünfzehn Hauptblockstellen für sechsundzwanzig Gleisstellungen, das ist doch viel zu wenig! Die Verwaltung überlegt sich so was immer erst hinterher, wenn mal 'n Unglück passiert is. Aber ich sage Ihnen, man müßte nur –

DER ERSTE Entschuldigen Sie mal 'n Moment; wenn ich so früh aufstehe, dann geht's immer nicht, und nachher muß ich ganz plötzlich. *Geht zum WC.*

DER ZWEITE Gewiß, gewiß. Also ich sage Ihnen, da müssense nur mal drüber nachdenken, dann kommense selbst drauf. Das elektrische System in allen Ehren, aber schließlich kann mal 'n Kurzschluß sein, und was dann? Im Grund sind wir doch immer auf menschliche Leistungen angewiesen.

DER ERSTE Besetzt. *Macht kehrt, geht rascher. Beide quer über die Bühne zurück.*

DER ZWEITE Und deshalb bin ich der Ansicht, es müssen fünf neue Blockstellen her, die Anzahl der Weichensteller muß erhöht werden und die Dienststunden verkürzt. Sonst gibt's mal 'n Malör. Das hab ich dem Inspektor auch gesagt, hat er gelacht, na meinense, da wär ich still gewesen? Da kennense mich schlecht! Herr Inspektor, hab ich gesagt – Herr Inspektor, da könnte statt Ihrer der Herr Eisenbahnpräsident persönlich dastehn, dann würde ich trotzdem –

Sie verschwinden einen Augenblick nach der andern Seite, man hört die Stimme weiter, dann kommen sie zurück.

DER ERSTE Na ja, das mag ja alles stimmen, aber da dringense doch nich durch mit. *Geht rascher.*

DER ZWEITE *fast laufend mit ihm* Da dring ich nich durch mit? Da dring ich nich durch? Ich hab doch den Plan ganz genau ausgearbeitet. Fünf Blockstellen, das is doch ganz einfach, nehmen wir die Strecke Berlin–Spandau, Berlin–Stahnsdorf, Berlin–Köpenick –

DER ERSTE Donnerschlag. Immer noch besetzt. *Macht kehrt.*

DER ZWEITE Berlin–Köpenick, dann die Südstrecke und die Oststrecke, da is ja sowieso vorgesehen. Und nu möcht ich wirklich wissen, was kann das schon kosten, das fällt doch bei der Berechnung des Gesamtbauetats gar nicht ins Gewicht, das müßte nur –

DER ERSTE Ja ja, da habense recht, das is ja gar kein Zweifel. *Macht kehrt.*

DER ZWEITE Sehn Sie, sehn Sie! Aber nun hörense zu, die Hauptsache, die Personalfrage *Hält ihn am Arm* 'n Augenblick noch, passense mal auf…

DER ERSTE Nu wird's aber zu bunt. *Zum WC, rasselt an der Tür* Herrgott, wer scheißt denn hier so lange!!

Die Tür geht auf.

VOIGT *in voller Hauptmannsuniform, tritt heraus.*

DER ERSTE *fährt furchtbar zusammen, steht unwillkürlich stramm.*

VOIGT *sieht ihn an, ruhig und sicher* Haben Sie gedient?

DER ERSTE Jawohl, Herr Hauptmann.

VOIGT Dann werdense auch gelernt haben, sich zu beherrschen. Wo habense gedient?

DER ERSTE Beim Sechsten Schlesischen Infanterieregiment Prinz Joachim Albrecht, Erstes Bataillon, Dritte Kompanie.

VOIGT Na wartense mal 'n Moment. *Geht ein paar Schritte in die Halle, ruft* He! Dienstmann! Kommense mal her!

DIENSTMANN *kommt gelaufen.*

VOIGT Nehmense mein Paket da raus, tragenses zur Handgepäckaufbewahrung. Marsch! Ich komme nach. *Er zieht sich Handschuhe an.*

DER DIENSTMANN *springt mit dem Paket.*

VOIGT *zum Bahnbeamten* So. Jetzt könnense austreten. 's nächste Mal nehmense sich 'n bißchen zusammen.

DER ERSTE Zu Befehl, Herr Hauptmann.

VOIGT *legt den Finger an die Mütze, geht.*
Dunkel.

Achtzehnte Szene

Personen: Bürgermeister Obermüller, Stadtsekretär Kutzmann, Stadtrat Rau, Stadtrat Comenius, Stadtschutzmann Kilian, Wäscherin Kähndorf, Landwirt Wendrowitz, Wilhelm Voigt, ein Gefreiter, zehn Mann

Vorhalle mit Treppenhaus im Köpenicker Rathaus. Im Hintergrund weit offenes Flügeltor zur Straße. Es regnet draußen. Drinnen herrscht tiefster Friede.

STADTSCHUTZMANN KILIAN *ein unförmig dicker Mensch, hockt in seinem kleinen offenen Wachraum rechts vom Haupteingang und liest Zeitung.*

STADTRAT RAU UND STADTRAT COMENIUS *kommen von der Seite. Beide sind damit beschäftigt, ihre Frühstücksbrote aus dem Papier zu schälen.*

COMENIUS Machen wa rasch ne kleine Frühstückspause. Das dauert noch stundenlang. Bis die Neustraßenbenennungsvorlage drankommt, sind wir längst wieder droben.

RAU Sehr richtig, wir gehn in Ratskeller und trinken ne halbe Rotspon.

COMENIUS Ne ganze kann auch nichts schaden. Das eilt ja nicht.
Der Bürgermeister is ja noch nich da.

RAU Das is auch nich sein Ressort. Das macht ja Rosencrantz.
Wenn die Steuersache zur Abstimmung gelangt –

COMENIUS *essend* Kommt ja nichts raus bei. Kommt nichts raus
bei der Sache. Kilian!

KILIAN Jawohl, Herr Stadtrat?

COMENIUS Wenn gefragt wird wegen Abstimmung, wir sitzen
im Ratskeller, holense uns.

KILIAN Sehr wohl, Herr Stadtrat.

COMENIUS UND RAU *ab durch eine Tür, über der ein Schild steht:*
»Zum Ratskeller«.

WÄSCHERIN KÄHNDORF, *ein Mädchen in dünnem Mantel, mit nassen*
Haaren, kommt von außen.

KILIAN *ziemlich grob* Was wollen Sie denn schon wieder hier?

WÄSCHERIN Ich muß ja nu nochmal, wegen mein Paß, es geht ja
nicht ohne.

KILIAN Hab ich Ihnen nich schon dreimal jesagt, daß hier kein
Paßamt is?

WÄSCHERIN Ick brauch'n aber doch.

KILIAN Soviel Dummheit is ja militärwidrig! Pässe gibt's auf'm
Landratsamt, verstehense denn das nicht? Hier is ne städtische
Behörde, hier is kein Paßamt bei!!

WÄSCHERIN Da mißt ick aber mit de Bahn fahren, und soviel
Freizeit hab ick ja nich, un da hab ick jedacht –

KILIAN Jedacht!! Sie haben nich zu denken, merkense sich das!
Wie oft soll ich mich denn noch mit Ihnen rumärgern!!

WÄSCHERIN Ick hab ja kein Heimatschein. Ick bin doch ausn
Spreewald...

KILIAN Dann scherense sich in Spreewald! Raus hier!

WÄSCHERIN *geht* Nu weiß ick wirklich nich mehr, wat ick soll
machen –
Ab.

KILIAN Dumme Gans. *Setzt sich wieder über seine Zeitung.*
Gleich darauf erscheinen...

BÜRGERMEISTER OBERMÜLLER UND STADTSEKRETÄR KUTZMANN
im Portal. Sie klappen ihre Regenschirme zu und schütteln sie ab.

OBERMÜLLER *mitten im Gespräch* Lieber Kutzmann, ich stehe auf dem Standpunkt: keinem eine Extrawurst. Wieso soll grade für die Dampfwäschereibesitzer eine Bestimmung geschaffen werden, die für kleine Betriebe nicht gelten kann? Die Leute verdienen sowieso ne Menge Geld.

KUTZMANN Sehr richtig, Herr Bürgermeister, man muß nur bedenken, daß sie die Hauptsteuerzahler unsrer Stadtgemeinde repräsentieren. Diese Leute zahlen unsre Gehälter sozusagen. *Lacht.*

KILIAN *ist beim Erscheinen der beiden aufgesprungen, nimmt ihnen nun diensteifrig die Regenschirme ab* Die Schirme behalt ick hier unten, Herr Bürgermeister – sonst trippelt's ins Vorzimmer, und denn gibt's 'n kleenen Bach.

OBERMÜLLER Danke, Kilian. Aber erinnern Sie mich daran, wenn ich heimgehe.

KILIAN Herr Bürgermeister werden ihn nich vergessen, da sorgt Kilian für. Die Gummischuhe auch, wenn ick bitten darf. Det macht so Tappen auf de Treppe.

OBERMÜLLER Ja, ja, dank schön. *Kilian zieht ihm die Schuhe aus* Die Herren in der Sitzung?

KILIAN Jawohl, Herr Bürgermeister.

OBERMÜLLER Herr Kutzmann, Sie schaun mal rein, bitt schön. Das macht ja Rosencrantz. Vielleicht bringen Sie mir dann mal das Protokoll rüber.

KUTZMANN Selbstverständlich, gern.

OBERMÜLLER *weitergehend mit ihm* Nein, nein, in der Wäschereisache kann ich mich Ihrer Meinung nicht anschließen. *Auf der Treppe* Extravergünstigungen für höhere Steuerzahler, das wäre eine Durchbrechung des Systems. Das ist eine Prinzipiensache, mein Lieber. Kommt gar nicht in Frage! *Beide ab.*

LANDWIRT WENDROWITZ *ein kräftiger Mann im nassen Lodenmantel tritt ein* Brrrr! *Schüttelt sich* Son Sauwetter. *Tritt den Schmutz von den Stiefeln.*

KILIAN Sie, was machen Sie denn da, sehnse nich, daß da draußen 'n Fußeisen liegt?

WENDROWITZ Fußeisen? Det is was für Füchse oder Flurdiebe, wat? *Lacht.*

KILIAN Wenn da jeder seine dreckigen Stiefel reintragen wollte, da hätten wir hier 'n schönen Schweinestall.

WENDROWITZ Mein lieber Freund, wat 'n richtiger Landwirt is, bei dem is der Schweinestall sauberer als bei Ihnen de Hausdiele. Det bilden se sich man nur nich ein, daß da Schmutz is, in Schweinestall.

KILIAN Das geht mir gar nichts an. Was wollense denn hier?

WENDROWITZ Na, ick will Ihnen mal besuchen, damitse 'n bißken Kurzweil haben in Ihrn Kabuff. Deshalb bin ick extra mit 'n kleenen Krümper sechzehn Kilometer über Land jefahren.

KILIAN Sind Sie Landwirt?

WENDROWITZ Det habense ooch schon jemerkt?

KILIAN Denn gehörense doch zum Kreisamt Teltow.

WENDROWITZ Ick schon, aber meine Kartoffeln, die liefere ick nach Köpenick, und da muß ick mal vorsprechen wegen de Jemeindeumsatzsteuer. Hier is de Zustellung.

KILIAN Gut. Gehnse rauf.

WENDROWITZ Wohin denn? Ick kenne mir hier nicht aus.

KILIAN Gegenüber an der Wand hängt der Lageplan. Zimmer 3 b.

WENDROWITZ *betrachtet den Lageplan, ein vergilbtes Gemälde an der Wand mit umständlichen Erklärungszeichen* Nee. Det versteh ick nich. Det kommt mir vor wie Nachbar Schmudickes Krautgarten.

KILIAN Denn strengense sich 'n bißchen an. Is ja ganz einfach. Zweiter Stock links, gradeaus der Gang rechts mittendurch.

WENDROWITZ Sie, det find ick in drei Wochen nich. Können se mir nich führen?

KILIAN Dazu bin ich nicht hier. Ich hab mehr zu tun.

WENDROWITZ Det scheint mir auch so. Sie sind wohl 'n janz großer Herr hier, wat?

KILIAN *lauscht auf die Straße, von der man, kurz aufklingend, Kinder-*

johlen und gleich darauf taktmäßige Schritte hört Was isn da los?
Da is doch was los!

WENDROWITZ Wat soll denn sein, de Wache zieht auf.

KILIAN Hier is doch keine Wache – das is ja –

VOIGTS STIMME *von draußen* Das Ganze – halt! Front! Rrrricht
euch! Augen gradee-aus! Achtung! Bajonett – pflanzt – auf!
*Jedes Kommando wird vom Geräusch der scharf klappernden Aus-
führung begleitet.*

KILIAN Was is denn das – das is ja – das is ja Ernst!

VOIGT *als Hauptmann, tritt ein, geht in militärisch rascher Gangart auf
Kilian zu. Der springt aus seinem Wachraum, reißt die Knochen
zusammen* Sind Sie die einzige Wache hier?

KILIAN Jawohl, Herr Hauptmann.

VOIGT Der Polizei-Inspektor?

KILIAN Im Amtszimmer, Stube zwölf.

VOIGT Sie hören auf mein Kommando.

KILIAN Zu Befehl, Herr Hauptmann. Soll ich Herrn Inspektor
rufen?

VOIGT Zunächst nicht. Hat das Rathaus außer dem vorderen
und dem rückwärtigen noch einen dritten Ausgang?

KILIAN Durchn Ratskeller, Herr Hauptmann, sonst keinen.

VOIGT Gut. *Zum Portal zurück, kommandiert nach außen* Der erste
Mann bleibt am Haupteingang, der zweite besetzt das Rück-
portal, der dritte den Eingang zum Ratskeller. Es verläßt oder
betritt kein Mensch das Rathaus ohne meine persönliche Er-
laubnis, Belagerungszustand, verstanden?! Die Eingänge
werden geschlossen. Die andern folgen mir, Gefreiter, lassen
Sie antreten! *Zu Kilian* Sie führen mich zum Amtszimmer des
Bürgermeisters.

KILIAN Zu Befehl, Herr Hauptmann!
Draußen die Stimme des Gefreiten »In Reihen gesetzt – rechts
schwenkt – marsch!« *Die Soldaten erscheinen im Eingang.*

KILIAN *hat sich, so rasch die Beine seinen Leibesumfang tragen, treppauf in Marsch gesetzt.*

VOIGT Vorwärts – marsch! *Im Taktschritt treppauf voraus, der Gefreite und sechs Grenadiere folgen.*

WENDROWITZ *starrt ihnen dumm nach.*
Im Hintergrund kracht das Tor zu.
Dunkel.

Neunzehnte Szene

Personen: Bürgermeister Obermüller, Frau Obermüller, Stadtkämmerer Rosencrantz, Polizei-Inspektor Steckler, Wachtmeister Kilian, Stadtrat Comenius, ein Schreiber, Wilhelm Voigt,
Grenadiere

*Amtszimmer des Bürgermeisters. An der Wand ein Porträt Bismarcks
und eine Photographie Schopenhauers. Obermüller in einem bequemen
Sessel hinterm Diplomatenschreibtisch. Ein Stadtschreiber mit Steno-
grammblock, stehend daneben.*

OBERMÜLLER *diktiert* – können wir Ihnen daher in dieser Sache
keineswegs entgegenkommen. Habense's? Entgegenkommen. Die Verwaltung einer Stadtgemeinde, deren Haupt-
kontingent sich aus Industriebevölkerung rekrutiert – oder
nein, lassense mal, zuviel Fremdworte – deren Bevölkerungs-
großteil sich aus Industrieangestellten zusammensetzt – zusammensetzt – kann nur nach den Grundsätzen der modernen
freisinnigen Sozialpolitik geleitet werden. Wir haben hier in
Köpenick keine Garnison und brauchen deshalb nicht, wie
andre Gemeinden, die hauptsächlich auf die Militärbehörde
Rücksicht nehmen müssen – na, was is denn los?
KILIAN *steckt den Kopf herein, mit vorquellenden Augen* Herr Bürjermeister! Herr Bürjer –
OBERMÜLLER Was soll denn das heißen? Wieso können Sie hier
einfach, ohne anzuklopfen –
VOIGTS STIMME *draußen* Zwei Mann vor Gewehr, der Gefreite
als Ordonnanz, die andern bleiben vorläufig auf dem Gang
zur Verfügung. Mal Platz hier!
*Er schiebt von hinten Kilian beiseite, tritt ein. Man sieht in der Tür
die beiden Soldaten und ihre aufgepflanzten Bajonette.*

OBERMÜLLER *sprachlos, erhebt sich langsam von seinem Sessel.*

VOIGT Sind Sie der Bürgermeister von Köpenick?

OBERMÜLLER Allerdings.

VOIGT *zu dem Schreiber* Gehnse mal raus.

OBERMÜLLER Ja, was soll denn das –

VOIGT *hebt die linke Hand, ihn zur Ruhe weisend, dann klappt er die Hacken zusammen, legt die rechte an den Mützenschirm* Auf Allerhöchsten Befehl Seiner Majestät des Kaisers und Königs erkläre ich Sie für verhaftet. Ich habe Auftrag, Sie sofort auf die Neue Wache nach Berlin zu bringen. Machen Sie sich fertig.

OBERMÜLLER *bleich, aber einigermaßen gefaßt* Das verstehe ich nicht! Das muß doch ein Irrtum sein, wieso denn überhaupt?

VOIGT Wieso?! *Weist auf die Truppe hinter sich* Genügt Ihnen das nicht?

OBERMÜLLER Ja, aber, es muß doch ein Grund vorliegen! Können Sie mir denn nicht –

VOIGT Sie werden schon wissen. Ich habe nur Befehl.

OBERMÜLLER *haut auf den Tisch* Das is aber doch stark! Ich lasse mich hier nicht einfach –

VOIGT Haben Sie gedient?

OBERMÜLLER Jawohl, ich bin Oberleutnant der Reserve.

VOIGT Dann wissen Sie doch, daß jeder Widerstand nutzlos ist. Befehl ist Befehl. Hinterher könnense sich beschweren.

OBERMÜLLER Ja, ich habe aber doch gar keine Ahnung –

VOIGT Tut mir leid. Ich auch nicht. Ich habe nur Befehl. *Winkt den beiden Grenadieren, die kommen mit festem Tritt ins Zimmer, nehmen mit aufgepflanztem Bajonett Posten rechts und links vom Schreibtisch.*

OBERMÜLLER *starrt, nimmt seinen Zwicker ab, Schweiß auf der Stirn.*

VOIGT *zum Gefreiten, der hinter ihm steht* Schaunse mal nach, was der Polizei-Inspektor macht. Nebenan, Zimmer zwölf. *Zu Obermüller* Wer hat die Stadtkasse unter sich?

OBERMÜLLER Der Stadtkämmerer Rosencrantz. Ich möchte aber sehr bitten –

VOIGT Danke. *Zu Kilian* Holense den Herrn mal her.

KILIAN *diensteifrig* Der steht schon im Vorzimmer, Herr Hauptmann! *Ruft nach rückwärts* Herr Stadtkämmerer!! Reinkommen!!

ROSENCRANTZ *mit sehr hohem Stehkragen, Glatze und Schmissen* Zur Stelle, Herr Hauptmann!

VOIGT Haben Sie gedient?

ROSENCRANTZ Jawohl, Herr Hauptmann! Leutnant der Reserve im Ersten Nassauischen Feldartillerieregiment Nummer siebenundzwanzig Oranien.

VOIGT Danke. Leider muß ich auch Sie vorläufig,in Haft nehmen und auf die Neue Wache in Berlin bringen. Sie machen sofort einen vollständigen Kassenabschluß, den ich kontrollieren werde.

ROSENCRANTZ Zu Befehl, Herr Hauptmann. Ich muß mich zu diesem Zweck in die Stadtrendantur und in den Kassenraum begeben. Bitte gehorsamst um Passiererlaubnis.

VOIGT Sie bekommen natürlich eine Wache mit.

OBERMÜLLER *hat sich wieder gesammelt* Erlauben Sie mal, Herr Stadtkämmerer, wie kommen Sie eigentlich dazu, hier ohne weiteres zu kapitulieren? Sie haben in diesem Hause ohne meinen Befehl keinen Abschluß zu machen! Noch bin ich nicht abgesetzt!

ROSENCRANTZ Aber verhaftet, verzeihen Herr Hauptmann, ich dachte wenigstens...

OBERMÜLLER Das geht nicht so einfach! Ich verlange die Bestellung eines Vertreters! Die Stadtkasse kann nicht ohne Beschluß der Verwaltung...

VOIGT *sehr scharf* Die Verwaltung der Stadt Köpenick bin ich! Der Herr Bürgermeister ist ganz einfach mein Gefangener. *Zu Rosencrantz* Führen Sie meine Anweisung aus!

ROSENCRANTZ *mit vorwurfsvollem Blick zum Bürgermeister* Selbstverständlich, Herr Hauptmann.

VOIGT *ruft nach rückwärts* Ein Mann vor Gewehr begleitet Herrn Stadtkämmerer in die Rendantur. Ich gebe Ihnen zehn Minuten. Reicht das?

ROSENCRANTZ Ich werde mich beeilen, Herr Hauptmann.

VOIGT Danke.

ROSENCRANTZ *ab.*

DER GEFREITE *ist inzwischen wieder erschienen.*

VOIGT Na, was ist mit dem Polizei-Inspektor?

DER GEFREITE Schläft, Herr Hauptmann.

VOIGT Wieso schläft er? Liegt er?

DER GEFREITE Sitzt, Herr Hauptmann, hinterm Amtstisch. Schnarcht mächtig.

VOIGT Dann wird er geweckt. Holense ihn sofort herbei.

GEFREITER *ab.*

OBERMÜLLER *nun völlig konsterniert, mit zitternder Stimme* Herr Hauptmann, Ihr Vorgehen wird nicht ohne parlamentarische Folgen bleiben. Ich bin Mitglied der Fortschrittlichen Volkspartei...

VOIGT Das interessiert mich nicht. Ich befolge nur meinen Befehl.

OBERMÜLLER Ich füge mich der Gewalt, Herr Hauptmann. Aber die Sache wird sich aufklären. Was hier vorgeht, geschieht auf Ihre Verantwortung!

VOIGT Sehr richtig. Auf meine Verantwortung. Na, endlich!!

DER POLIZEI-INSPEKTOR *wird vom Gefreiten hereingebracht. Sein Uniformkragen steht noch offen* Das geht doch nicht! Man kann mich doch nicht einfach mit dem Bajonett... *Sieht Voigt an, verstummt.*

VOIGT Sagen Sie mal, wie kommen Sie eigentlich dazu, im Dienst zu schlafen? Werden Sie dafür von der Stadt Köpenick bezahlt?

INSPEKTOR Nein, Herr Hauptmann.

VOIGT Das will ich auch meinen. Bringen Sie mal gefälligst Ihre Kleider in Ordnung.

INSPEKTOR *faßt nach der falschen Stelle, dann hastig zum Halskragen* Verzeihen, Herr Hauptmann.

VOIGT *milder* Na ja, Ordnung muß sein. – Was bringen denn Sie?

EIN GRENADIER *in der Tür* Meldung von der Portalwache, Herr Hauptmann: es sind nun schon mindestens tausend Leute draußen. Wache bittet um Verstärkung.

VOIGT Aha. *Zum Inspektor* Mal rasch runter auf die Straße. Sie vertreten ja hier die oberste Polizeigewalt. Sorgense mal für Ruhe und Ordnung gefälligst!

INSPEKTOR Jawohl, Herr Hauptmann! *Schleunigst ab.*

VOIGT *zu Obermüller* Haben Sie einen Wunsch? Soll ich Ihnen eine kleine Stärkung bringen lassen?

VOIGT Nein, danke, ich möchte nur – wenn ich bitten darf – meine Frau benachrichtigen.

VOIGT Haben Sie Dienstwohnung?

OBERMÜLLER Ja, gleich nebenan.

VOIGT *zu Kilian* Holense mal die Frau Bürgermeister rüber. Aber trabtrab, wir bleiben nicht mehr lange. *Zu Obermüller* Bis zu Ihrem Abtransport können Sie ungehindert mit Ihrer Gemahlin verkehren. Natürlich nicht ohne Bewachung.

OBERMÜLLER Besten Dank, Herr Hauptmann.

EIN GRENADIER *im Eingang.*

VOIGT Na, was denn schon wieder?

GRENADIER Meldung vom Hauptposten, Herr Hauptmann: die Stadträte haben sich im Vorraum versammelt, ihre Sitzung is rum, sie wollen raus.

VOIGT Wieviel Stadträte sind's denn?

GRENADIER Achtzehn Stück, Herr Hauptmann!

VOIGT Durchlaß kann nicht gewährt werden. Wiederholen Sie meinen Befehl gefälligst!

GRENADIER Durchlaß kann nicht gewährt werden, Herr Hauptmann.

Kehrt, ab.

DER POLIZEI-INSPEKTOR *steht gleich hinter dem Grenadier, drängt sich in die Tür* Verzeihen, Herr Hauptmann – ich kann ja auch nich durch – die lassen mich ja nich auf die Straße – wie soll ich denn da –

VOIGT *ruft dem Grenadier nach* Zurück! Nehmen Sie den Herrn Polizei-Inspektor mit, lassen Sie ihn auf die Straße.

GRENADIER MIT INSPEKTOR *ab.*

KILIAN *in der Tür* Die Frau Bürgermeister kommt sofort, war nur nich ganz angezogen.

VOIGT Gut – Sagense mal – wer hat denn die Paßabteilung unter sich?

KILIAN Verzeihen, Herr Hauptmann – wir haben hier leider keine Paßabteilung. Das ist nur in Kreisstädten, auf dem Landratsamt.

VOIGT *starrt ihn einen Moment an* Ach so. Ja natürlich. – Das hatte ich ganz vergessen. Na – darauf kommt's nu auch nich mehr an. *Stößt den Säbel auf die Erde.*

FRAU OBERMÜLLER *kommt hereingebraust* Um Gottes willen, was ist denn passiert – mein armer Mann – ach, Herr Hauptmann – *Sieht Voigt hilflos an.*

VOIGT *Hand an die Mütze, sehr höflich* Gnädige Frau, ich bitte vielmals um Verzeihung, ich habe den höchst unangenehmen Auftrag, Ihren Herrn Gemahl nach Berlin auf die Neue Wache zu bringen. Alles Nähere wird Ihnen Ihr Herr Gemahl wohl selbst anvertrauen.

OBERMÜLLER Es ist mir vollkommen unverständlich –

FRAU OBERMÜLLER *ohne auf ihn zu hören* Ja, ich verstehe gar nicht – was soll er denn auf der Neuen Wache?!

VOIGT Das entzieht sich meiner Kenntnis, gnädige Frau. Es handelt sich um Unregelmäßigkeiten in der Verwaltung, soviel ich weiß.

OBERMÜLLER Ich lehne jede Verantwortung ab –

FRAU OBERMÜLLER Was?! Das ist ja entsetzlich! Da kann er ja bis heute abend gar nicht wieder zu Hause sein?

VOIGT *mit leisem Lächeln* Das glaube ich kaum, gnädige Frau.

FRAU OBERMÜLLER Aber wir haben doch heute abend Gesellschaft, wir haben doch schon alles vorbereitet –

VOIGT Wenn ich mir erlauben darf, gnädige Frau, würde ich Ihnen raten, die Gesellschaft abzusagen. Jetzt können sich die Herrschaften noch was andres vornehmen.

FRAU OBERMÜLLER Da müßte ich aber gleich telephonieren!

VOIGT Bitte sehr. Ihnen steht das Telephon zur Verfügung. Natürlich nur zum Privatgespräch.

FRAU OBERMÜLLER Ich danke Ihnen. Sie sind sehr liebenswürdig. Das ist ja zu schrecklich. Ist denn da gar nichts zu ändern?

VOIGT Leider nein, gnädige Frau. Sie wissen, wenn man als Offizier einen Befehl kriegt – es mag einem persönlich sehr wider den Strich gehen – aber dafür ist man Soldat. *Verbeugt sich*.

FRAU OBERMÜLLER Oh, vielen Dank. *Zu ihrem Mann* Du hast gehört, was der Herr Hauptmann gesagt hat. Da muß ich Junghansens anrufen!

OBERMÜLLER Mir ist es vollkommen unverständlich – ja, ruf nur an.

FRAU OBERMÜLLER *am Telephon* Was sag ich denn – ja, 518 – ich sage einfach – ja, ist dort Frau Junghans? Liebe Charlotte, ja, hier ist Mathilde, danke, gut, hören Sie, Charlotte, Sie müssen mir einen Gefallen tun, nein, nicht das Serviermädchen, wir können nämlich heute abend nicht, ja, ganz plötzlich, kann Ihnen in der Eile nicht erklären, wir müssen plötzlich nach Berlin, mein Mann und ich, weiß ich nicht, kann ein paar Tage dauern – ja, dienstlich, plötzlich, überraschend, bitte, rufen Sie doch für mich Frau Lütgebrüne an und Frau Koch und Frau Kutzmann, daß es nichts ist heute und daß ich bitte, zu – ja ja, dienstlich, vielleicht eine längere Reise, nein, danke, danke, nichts zu gratulieren, auf Wiedersehen, vielen vielen Dank – *Legt den Hörer hin* Sie meint, du sollst Landrat werden –!

VOIGT *ist inzwischen mit großen Schritten auf und ab gegangen, nimmt noch während des Telephongesprächs Kilian beiseite* Kommen se mal mit. *Geht mit ihm hinaus.*
Es bleiben außer Herrn und Frau Obermüller nur die beiden Soldaten mit aufgepflanzten Bajonetten.

FRAU OBERMÜLLER Ja, was ist denn, um Gottes willen. Du kannst doch nicht einfach so dasitzen!

OBERMÜLLER Was soll ich denn machen? Du siehst ja. Ich habe alles versucht. Ich lehne jede Verantwortung ab.

FRAU OBERMÜLLER Ja, weißt du denn gar nicht – das kann doch nicht stimmen, Oskar!

OBERMÜLLER Stimmen?! Das kann sich nur um eine infame Verleumdung handeln – vielleicht von seiten der Großdampfwäschereibesitzer – aber das kann ich mir auch gar nicht denken –!

FRAU OBERMÜLLER Hat dir denn der Hauptmann gar nichts gesagt?

OBERMÜLLER Wie kann er denn das! Der Mann tut nur seine Pflicht, hat einfach Befehl.

FRAU OBERMÜLLER *zu dem Wachsoldaten* Was is denn das für ein Herr Hauptmann? Is er von einem Stab? Oder Gerichtsoffizier?

DER SOLDAT *mit stark westpreußisch-polnischem Akzent* Wejß ich nich.

FRAU OBERMÜLLER Aber wenn Sie unter seinem Kommando stehen, dann müssen Sie doch wissen, wo er her ist!

DER SOLDAT Nejn, wejß nicht. Sind wirr gekommen von Schwimmschullenwache Pletzensee, hat uns Herr Hauptmann angehalten auf Straße, abkommandiert zu besondere Aktion in Köpenick. Sonst wejß nicht.

FRAU OBERMÜLLER *zu Obermüller* Ja, was hat er dir denn für Legitimation vorgezeigt?

OBERMÜLLER Legitimation? Ja, gar keine. Er ist doch Hauptmann –

FRAU OBERMÜLLER So, und du läßt dich hier einfach ohne Legitimation verhaften? Ohne Ausweis, ohne Haftbefehl? Und wenn's nun 'n Irrtum is? Wenn er vielleicht ganz jemand anderen verhaften soll?

OBERMÜLLER Das ist ja ausgeschlossen. Der Mann weiß genau, was er will.

FRAU OBERMÜLLER Aber du nicht! Leider nicht!! Telephonier doch rasch mal zum Kreisamt Teltow, oder zum Landrat –

OBERMÜLLER Ja, das könnte ich wirklich, das heißt, falls man dort überhaupt im Bilde ist –

FRAU OBERMÜLLER Überleg nicht lang, telephonier! *Nimmt den Hörer.*

SOLDAT *senkt das Bajonett aufs Telephon* Nejn, das kann ich nicht lejden.

FRAU OBERMÜLLER Was können Sie nicht? Haben Sie nicht gehört, daß der Herr Hauptmann gesagt hat, ich kann telephonieren?

SOLDAT Is gewesen vorbej. Das kann ich nicht lejden.

OBERMÜLLER Da hast du's.

FRAU OBERMÜLLER *legt den Hörer hin* Tun Sie doch das Bajonett weg, das ist ja schrecklich, ich tu's doch gar nicht!

DER SOLDAT *grinst, nimmt das Bajonett wieder hoch.*

KILIAN *kommt herein, sehr wichtig.*

FRAU OBERMÜLLER Was ist, Kilian, wo ist er denn, wissen Sie was?

KILIAN Ich kann keine Auskunft geben.

OBERMÜLLER Was soll das heißen, Kilian, was ist denn das fürn Ton?! Was erlauben Sie sich?

KILIAN Ich habe Befehl, Herrn Bürgermeister und Herrn Stadtkämmerer als Gefangene nach Berlin zu bringen. Ich habe mit Gefangenen nicht zu sprechen.

OBERMÜLLER Was, Sie sollen mich – *Sinkt wieder auf den Stuhl.*

VOIGT *tritt ein* So. Ich habe zwei geschlossene Wagen requirieren lassen, Sie können im Hof einsteigen, damit kein Aufsehen entsteht. Der Wachtmeister wird den Transport führen.

OBERMÜLLER Herr Hauptmann! Haben Sie eine Legitimation?! Ich verlange, auf der Stelle Ihre Legitimation zu sehen!

VOIGT *klopft mit der Hand auf eins der Bajonette* Genügt Ihnen das nicht?! – Bitte, keine Widerrede! *Freundlicher* Sie sind doch Soldat. Sie wissen doch, daß ein Kommando vor Gewehr absolute Vollmacht bedeutet.

OBERMÜLLER *zur Frau* Siehst du. *Sinkt wieder zusammen.*

FRAU OBERMÜLLER Herr Hauptmann, erlauben Sie, daß ich meinen Mann auf dieser schweren Fahrt begleite? Ich kann ihn jetzt nicht allein lassen – Sie sehen ja.

VOIGT Bitte sehr, gnädige Frau. Nur muß ich Sie bitten, kurz vor der Neuen Wache den Wagen zu verlassen. Ich habe Befehl, nur den Herrn Bürgermeister abzuliefern. Ich könnte sonst Unannehmlichkeiten haben.

FRAU OBERMÜLLER Ich danke Ihnen. Ich werde mich fertig machen.

VOIGT *zu Kilian* Begleiten Sie die Frau Bürgermeister. *Verbeugt sich.*

FRAU OBERMÜLLER *nickt ihm gnädig zu, rauscht von Kilian begleitet hinaus.*

VOIGT Herr Bürgermeister, ich möchte Ihnen ersparen, bewaffnete Grenadiere mitfahren zu lassen. Wollen Sie mir als Offizier Ihr Ehrenwort geben, keinen Fluchtversuch zu machen?

OBERMÜLLER Ich gebe Ihnen mein Ehrenwort. Ich werde –

VOIGT Danke. Das genügt.

OBERMÜLLER Ich werde Ihr korrektes Verhalten bei geeigneter Gelegenheit erwähnen.

VOIGT *Hand an die Mütze.*

INSPEKTOR *mit einem Grenadier herein* Herr Hauptmann, die Ordnung ist völlig hergestellt. Meine Beamten sind Herren der Lage.

VOIGT Danke. Noch was?

INSPEKTOR Ja, verzeihen Herr Hauptmann, meine Dienststunde ist nämlich jetzt um, und wir haben nur einmal die Woche heißes Wasser, meine Frau hat zu Hause ein Bad gerichtet. Bitte, baden zu dürfen.

VOIGT Was wollense? Baden wollense?

INSPEKTOR Jawohl, Herr Hauptmann. Bitte um Badeurlaub.

VOIGT Na, wenn Sie's nötig haben – *Klopft ihm auf die Schulter* Badeurlaub gewährt. *Lacht.*

INSPEKTOR *ernsthaft* Danke gehorsamst, Herr Hauptmann. *Ab.*

VOIGT *sieht die Soldaten an, die auch gegrinst haben, ihre Mienen erstarren sofort.*

ROSENCRANTZ *kommt herein, diensteifrig* Herr Hauptmann, melde gehorsamst, Kassenabschluß beendet. Hier sind die Kassenbücher, und hier die gesamten flüssigen Gelder. *Legt sie auf den Schreibtisch, in Kuverts und Säckchen mit Aufschriften* Viertausend und zweiundvierzig Mark fünfzig Pfennige.

VOIGT Danke. Ich nehme das Geld vorläufig in Verwahrung. Wird ja in Ordnung sein. Werde mal stichproben.

EIN GRENADIER *in der Tür* Herr Hauptmann, da is einer, der will was.

VOIGT *Geld zählend* Rein mit ihm!

COMENIUS *kommt herein* Verzeihung, Herr Hauptmann, Comenius, Stadtrat Comenius, wir hatten nämlich Sitzung und warten nun schon die ganze Zeit, ich komme als Abgesandter von achtzehn Stadträten, wir haben nämlich alle dringende Verpflichtungen außerhalb – es handelt sich ja wohl nicht – um – die Bürgerschaft – ich meine – die Sache ist doch wohl persönliche Verfehlung – oder irre ich?

VOIGT *zu Rosencrantz* Sagen Sie mal, da steht ja 4042 Mark 90 Pfennige, und was Sie da abliefern, sind nur 4042 Mark 50! Wie kommt denn das?

ROSENCRANTZ Ja, Verzeihung, Herr Hauptmann, in der Eile, wir haben alles umgedreht, es blieb trotzdem leider eine Differenz von vierzig Pfennigen, ich bitte zu –

VOIGT Na gut. Ich bin ja kein Pedant. Aber ich muß das natürlich vermerken. Sonst glaubt man womöglich, ich hätte mir vierzig Pfennige eingesteckt. *Lacht leutselig.*

ROSENCRANTZ *mitlachend* Aber, Herr Hauptmann!

VOIGT *zu Comenius* Also die Herren Stadträte haben kalte Füße, was? Na, gehn Sie mal runter und sagen Sie, sie können jetzt gehn. Die Aktion ist nun sowieso beendet. *Zum Gefreiten* Für die Stadträte Durchlaß gewährt!

COMENIUS Vielen Dank, Herr Hauptmann! *Ab.*

KILIAN *in Mantel und Helm* Herr Hauptmann, die Wagen sind vorgefahren, die Frau Bürgermeister sitzt schon drin.

VOIGT Dann führen Sie die beiden Herrn runter, und fahren Sie los. Sie wissen ja, Neue Wache, Berlin.

KILIAN Zu Befehl, Herr Hauptmann! Herr Hauptmann können sich auf mich verlassen. *Zu Obermüller und Rosencrantz* Vorwärts, marsch.

OBERMÜLLER UND ROSENCRANTZ *werden abgeführt. Man hört von draußen noch Kilians Stimme* »Los! Mäntel anziehen! Vorwärts!«

VOIGT Na, der hat wenigstens 'n Spaß bei. Sein' Bürermeister

führt er nich alle Tage ab. *Er steckt das Geld in die Manteltasche,
ruft* Gefreiter!

DER GEFREITE *kommt, steht stramm.*

VOIGT Die Aktion in Köpenick ist beendet. In einer halben
Stunde ziehen Sie die Wachen ein, marschieren zum Bahnhof,
fahren nach Berlin und melden sich auf der Neuen Wache,
von Köpenick zurück.

DER GEFREITE Zu Befehl, Herr Hauptmann.

VOIGT Sagen Sie Ihren Leuten: es war recht so. Es hat alles ordentlich geklappt.

DER GEFREITE Jawohl, Herr Hauptmann.

VOIGT Hier haben Sie Geld für die Rückfahrt. Vom Rest kaufen
Sie in der Bahnhofswirtschaft jedem Mann ein Bier und eine
Bockwurst.

DER GEFREITE Danke, Herr Hauptmann.

VOIGT Tach. *Finger an die Mütze, ab. Gefreiter und Soldaten stehen
stramm.*
Dunkel.

Zwanzigste Szene

Personen: Nachtkellner, Scheuerfrau, Bollefahrer, zwei Bollemädchen, Chauffeur, Zeitungsjunge, Wilhelm Voigt

*Aschingers Bierquelle in der neuen Friedrichstraße. Früher Morgen.
Die Gaslampe brennt noch, das Lokal ist aufgeräumt, Stühle auf den
Tischen, ein Ofen in der Ecke. An der Wand überm Ausschank ge-
druckte Schilder, auf dem einen steht: »Gepumpt wird nicht« – auf den
andern, in je zwei Zeilen geteilt, der Spruch: »Ein Bier allein im Magen, das kann kein Mensch vertragen! Drum, soll das Bier bekömmlich
sein, stülp einen Schnabus hinterdrein!« – Leere Flaschen, ungespülte
Gläser, kalter Rauch.*

*Der übernächtigte Kellner, ein verschwiemelter Mensch in einem
schmierigen weißen Jäckchen, und die Scheuerfrau sind dabei, das Lokal flüchtig aufzuräumen. An der Seite, von Tischen verdeckt, auf*

*einer schmalen Wandbank, liegt Wilhelm Voigt in seiner alten Klei-
dung, wie ein Toter hingestreckt. Man sieht von ihm zunächst nur die
Stiefel.*

DER KELLNER *klettert auf einen Stuhl, zieht am Kettchen den Gashahn
zu. Fades Tageslicht fällt herein.*

DIE SCHEUERFRAU *kehrt Schmutz und Zigarrenstummel zusammen.*

DER KELLNER *noch auf dem Stuhl* Seit wa hier Nachtbetrieb haben, jibt et überhaupt keen Schlaf mehr. Kaum sind de letzten
Hocker wech, kommen schon die Frühkutscher. Zu erben is
ooch nischt bei. Wer jibt denn heute noch 'n Trinkgeld.

SCHEUERFRAU *ist beim Kehren in Voigts Nähe gekommen* Was isn
mit dem?

KELLNER Dem kannste in Müll schippen. Dem Penner.

SCHEUERFRAU Der hat sich det Kinn wohl mächtig mit Jift be-
schüttet.

KELLNER Hier nich. Der liecht schon seit jestern abend. Über ne
kleene Molle und 'n halbes Sülzkotelett is er injepennt und
nich wieder hochjekommen.

SCHEUERFRAU Denn hat er sich vorher beschmettert.

KELLNER So hat er nich ausjesehn. Is halt 'n Penner. Ick wer'm 'n
Bierrest in de Fresse kippen.

SCHEUERFRAU Na, laß man. Vielleicht is er krank.

KELLNER Denn soll er in de Charité. Wenn Leite kommn, muß
er raus. *Draußen rollen und klingeln die Milchwagen, läuft eine
Trambahn an* Na, nu jeht's schon los. Man mechte kotzen,
wenn de Sonne aufjeht.

EIN BOLLEFAHRER *mit dickem, rotem Gesicht kommt herein, hinter
ihm zwei Bollemädchen in blauen Kittelschürzen, mit der gestickten
Aufschrift: »Frische Milch!« in Brusthöhe.*

DER FAHRER Fritze, meine Morjenladung. Kommt, Kinder, ick
spendier euch ne heiße Wurst. *Singt*

>»Glücklich ist,
>Wer verfrißt,
>Was nicht zu versaufen ist!«

Det is nämlich mein Wahlspruch. Det Wichtigste im Leben is de jesunde Grundlage.

DIE MÄDCHEN *lachen, setzen sich.*

DER KELLNER *hat dem Fahrer ein großes Glas voll Kognak eingeschenkt* Hier haste deine Morjnladung. Kriegen de Damen ooch 'n Kognak?

DIE MÄDCHEN Nee, nee, um Jottes willen.

DER FAHRER Wat heißt hier, um Jottes willen, seid froh, daß der liebe Jott 'n Kognak wachsen läßt: denn die wärmsten Jäckchen sind die Konjäckchen, und wer sich beizeiten fier ne warme Jacke sorcht, den jehn im Alter de Brikette nich aus.

KELLNER *bei Voigt* Los! Aufstehn! Verzehrt haste nischt, bezahlt is ooch nich! Hier is keene Penne!

DER FAHRER Kiek man, det is ja mein ausjestorbener Onkel, den se vor fuffzig Jahren in Amerika aus ne Postkutsche valoren haben! Morjn, Oller!

VOIGT *hat sich noch nicht erhoben, bewegt sich kaum.*

DER FAHRER *geht hin, singt ihn an*

> »Uffn Molkenmarcht
> Is eener injeschnarcht,
> Ach, der arme olle miede Mann,
> Kommt 'n Schutzmann her,
> Piekt 'n mitn Speer,
> Det er nich mehr nich mehr schnarchen kann!«

DIE MÄDCHEN *lachen.*

VOIGT *richtet sich auf. Wie betäubt.*

DER FAHRER *hält ihm sein Glas hin* Hier, stärk dir man, Junge, du wächst ja zu rasch, det hält 'n bißken uff.

VOIGT *schüttelt den Kopf.*

DER KELLNER *schreit ihn an* Wat is denn nu? Nehmse wat, oder jehnse wech?!

VOIGT 'n Kaffee.

FAHRER Det is 'n Blaukreuzler, det hab ick dem gleich anjero-
chen, det kann mein Onkel nich sein, der hat sich totjesof-
fen.

*Von draußen hört man die Stimme des Chauffeurs, der laut lachend
mit einem andern spricht. Gleich darauf kommt er herein, hält eine
Zeitung in der Hand.*

CHAUFFEUR Kinder!! Kinder, det is ne Sache, wat? Sache wie 'n
Boom, Sache wie ne Jaßanstalt! Ick lach mir dot, Kinder, ick
hab schon keene Puste mehr. *Läßt sich lachend auf einen Stuhl
fallen.*

FAHRER Wat denn, hat deine Olle 'n Kind jekriegt, oder hamse
dir in Schlaf 'n neuen Piephahn anjeschraubt oder wat?

CHAUFFEUR Wat, det wißter noch nich, habter denn hier keene
Morjnzeitung? Kommt man in de Stadt rin, Mensch, da is et
schon an de Litfaßsäulen, und wo 'n Extrablatt rauskommt,
da tretense sich de Zehn ab! Kinder, heut fangen die Jeschäfte
mitn Viertelbumms Vaspätung an!

FAHRER Det kenn ick ja längst, zeig's mal her, wat is denn – Wat
solln da sind, der Hauptmann von –

CHAUFFEUR Köpenick! Der Hauptmann von Köpenick, also
ick bin 'n Berliner, aber det is noch nich dajewesen, da heb-
ste 'n Gaul mitn Wagen uff, da platzt dich der Kragen mit-
samt de Krawatte, da laust dir der Affe, Mensch, bis de
Haare wech sind!! Nee, nee, ick hab in Leben nich mehr jelacht!

FAHRER *hat inzwischen gelesen, lacht auch, Kellner, Mädchen und
Scheuerfrau umdrängen ihn von hinten, schauen in die Zeitung*
Junge, da staun ja icke, und ick staune nie! Bravo! So is recht!
Det is – jib ihm! Jib ihm Saures! Nen janzen Magistrat verhaftet, in 'n Keller jesperrt, 'n Bürgermeister in Handschellen
durch de Gassen jetrieben, so muß et kommen, det is jut gegn
steifen Hals – fuffzich Soldaten von Exerzierplatz wechkom-
mandiert, ne janze Stadt umzingelt – und denn war's 'n falscher!!

SCHEUERFRAU Na, sone Jemeinheit!!

CHAUFFEUR Jemeinheit?! Det is 'n janz heller Junge, det is 'n
Jelehrter is det oder mindestens 'n Politischer, da sollste man
sehn, was da noch nachkommt, der stellt noch die janze Welt
uffn Kopp! Hörste? Schon wieder 'n Extrablatt! *Ein Zeitungsjunge rennt draußen vorbei.*

ZEITUNGSJUNGE Extrablatt!! Das Neueste vom Hauptmann
von Köpenick! Extrablatt! Der Hauptmann von Köpenick
nicht verhaftet!! Extrablatt! Das Neueste vom Köpenicker
Kriegsschauplatz! Der Hauptmann von Köpenick zum General befördert! Extrablatt! Die Frau Bürgermeister als Mit-
schuldige!!? Extrablatt!! Das Neueste vom Hauptmann von
Köpenick –

CHAUFFEUR Adjeh! Det muß ick lesen! *Er stürzt hinaus.*

DER FAHRER Halt, ick komm nach, det muß ick ooch haben, halt
'n fest!!

DIE MÄDCHEN *sind auf die Straße gerannt, der Kellner und die Scheuerfrau hinterher. Alle rufen und laufen hinter dem Zeitungsjungen
drein, verschwinden.*

DER FAHRER *klatscht die Zeitung, die er noch in der Hand hält, vor
Voigt auf den Tisch* Hier, Penne, lies man, det is besser wie 'n
heeßer Kaffe. Oller Doofkopp, lachen haste woll ooch nich
jelernt, haste woll jefehlt bei in de Schule! *Ab, hinter den andern
her.*

VOIGT *bleibt allein. Starrt erst unbeweglich auf die Zeitung, plötzlich
reißt er sie an sich, liest. Seine Kiefer bewegen sich lautlos. Dann
spricht er halblaut mit, immer stiller werdend* »– und so mag dieser tolle Spaßvogel, über den heute die ganze Welt lachen
wird, nun schon in Sicherheit sein und die Beute seines fröhlichen Raubzugs lachend genießen…« Ham die ne Ahnung… *Läßt den Kopf auf die Arme sinken.*
*Draußen kommen die Leute mit dem Extrablatt zurück. Durch die
offene Tür hört man den Fahrer vorlesen.*

FAHRER Steckbrief – Kinder, paßt uff, da kenn wa reich von
werden – *Er liest, nach jeder seiner Aufzählungen schallendes Gelächter der andren* »Mager und knochig – jebeugte Kopfhaltung
– schiefe Schulter – bleiches häßliches Jesichte – krankhaftes

Aussehen – einjefallene Wangen – vorstehende Backenknochen – tiefliegende Oogen – schiefe knollige Nase – etwas
krumme, sojenannte O-Beene – die Hände schmal und
weiß –« Kinder, det paßt auf mein vastorbenen Ziehhund –
bis uff de Pfoten!
Tolles Gelächter draußen.
VOIGT *sitzt unbeweglich.*
Dunkel.

Einundzwanzigste Szene

Personen: Kommissar, Untersuchungsgefangener Stutz, Kri-
minal-Inspektor, Oberwachtmeister, Paß-Kommissar, Voigt,
Kriminal-Direktor

*Vernehmungszimmer im Berliner Polizeipräsidium. Nüchterner
Raum mit Schreibtisch, Sessel, Stühlen. Der Kriminalinspektor sitzt
im Sessel, der Kommissar seitlich am Tisch, der Untersuchungsgefan-
gene Stutz, ein militärisch aussehender Hochstapler mit aufgezwirbel-
tem Schnurrbart, steht vor ihnen.*

KOMMISSAR Also, Sie leugnen weiterhin jeden Zusammenhang
mit der Tat in Köpenick?
STUTZ Ick leugne gar nichts. Ick war's nich.
KOMMISSAR Aber Sie geben doch zu, daß Sie am fraglichen Tag
in Köpenick waren.
STUTZ Natürlich. Da hab ick doch meine Braut zu wohnen.
KOMMISSAR Na gut. *Mit gespielter Gleichgültigkeit, um ihn zu
übertrumpeln* Die Uniform hattense doch schon lange, was?!
STUTZ Herr Kommissar, ick will Ihnen mal wat sagen. Wenn
ick's nu wirklich jewesen wäre – so kenntense mir nich fan-
gen! So nich! Sie nich! Mir nich!
INSPEKTOR Lassen Sie den Mann abführen, das hat ja keinen
Zweck.
KOMMISSAR *drückt auf eine Klingel, Polizist erscheint* Abführen.

POLIZIST *mit Stutz ab.*

INSPEKTOR Mit Überraschung kommense bei so gehauten Jungens nich weiter. Außerdem paßt er ja gar nich aufn Steckbrief.

KOMMISSAR Deshalb ist mir der Kerl ja grade verdächtig. Sie wissen, ich habe eine andre Theorie. Das war doch alles Maske. Ich bleibe dabei, wir müssen unter gedienten Soldaten oder sogar geschaßten Offizieren nachforschen. 'n anderer bringt das ja gar nicht fertig.

INSPEKTOR Wir sollten überhaupt die ganze Sache aufstecken. Dabei können wir uns höchstens blamieren.

KOMMISSAR Nee, Herr Inspektor, da kann ich nich mit. Für mich is das Prestigefrage. Wenn ich mit soner Sache betraut bin und kannse nich lösen – wozu bin ich dann kaiserlicher Polizeikommissar?

INSPEKTOR Der Kaiser is gar nich so scharf auf die Sache. Im Gegenteil! Habense den Geheimbericht nich gelesen? Gelacht hat er, wie man's ihm vorgetragen hat, und stolz war er noch drauf! Mein lieber Jago, hat er zum Präsidenten gesagt, da kann man sehen, was Disziplin heißt! Kein Volk der Erde macht uns das nach! – Da habense's.

KOMMISSAR Der hat gut lachen. Meine Karriere ist futsch, wenn ich nichts erreiche. *Es klopft* Herein!

EIN OBERWACHTMEISTER *atemlos* Wir haben ihn! Verzeihung, Herr Inspektor, ich bringe die Meldung, daß –

KOMMISSAR *ist aufgesprungen* Wen? Den Hauptmann?!

OBERWACHTMEISTER Jawohl, Herr Kommissar. Er ist soeben in der Paßabteilung verhaftet worden.

INSPEKTOR Ach was. Das ist nun die vierzigste Verhaftung.

OBERWACHTMEISTER Er hat aber schon gestanden.

INSPEKTOR Geständnisse hab ich dutzendweise liegen. *Haut auf einen Aktenstoß* Da können ruhig noch 'n paar zu.

OBERWACHTMEISTER Er hat doch das Versteck der Uniform angegeben.

KOMMISSAR Donnerwetter! Wo steckt er denn?

OBERWACHTMEISTER Drunten im Untersuchungsraum. Soll er vorgeführt werden?

KOMMISSAR Rasch, rasch!!

OBERWACHTMEISTER *ab.*

INSPEKTOR Machense sich nur keine Hoffnungen. Ausgerechnet in der Paßzentrale. Der Kerl wird doch nicht so dumm sein –

KOMMISSAR *ruhlos umherlaufend* Wie kommen die überhaupt dazu – das wär ja ein starkes Stück – is doch unser Ressort!

INSPEKTOR Das Ressort is ne Auster, in der noch kein Mensch ne Perle gefunden hat. Die dicken Würmer schnappen immer die Blinden – das is bei der Polizei nich anders wie aufm Hühnerhof. Aber es wird ja wieder nichts sein.

Es klopft.

KOMMISSAR *aufgeregt* Herrein!! *Herein tritt der Kommissar von der Paßzentrale, hinter ihm Wilhelm Voigt, ohne Fesseln, von zwei Schutzleuten flankiert. Er bleibt wie unbeteiligt, aber still und ernsthaft, in der Nähe der Tür stehen.*

DER PASSKOMMISSAR *höhnisch* Meine Herrn, ich bringe Ihnen den Hauptmann von Köpenick. Sie brauchen ihn nur zu verhaften.

KOMMISSAR Der?! – So sehn Sie aus! *Setzt sich.*

INSPEKTOR Wie kommense denn darauf, daß er das sein soll?

PASSKOMMISSAR Er hat's ja selbst erklärt.

INSPEKTOR *lacht.*

KOMMISSAR Nee, nee. Dann schon eher der von vorhin.

INSPEKTOR Na, berichtense mal.

PASSKOMMISSAR Also um elf Uhr dreißig meldet sich dieser Mann in der Paßzentrale, verlangt den diensthabenden Kommissar zu sprechen, er habe eine wichtige Anzeige zu machen. Ich laß 'n reinkommen, frag ihn, was er will, da macht der Mann eine höchst merkwürdige Erklärung. Ich habe sie genau protokolliert. *Liest vor* Er sei der vorbestrafte Wilhelm Voigt und brauche unbedingt einen Paß. Wenn ich ihm verspreche, daß er später einen Paß bekommt – er sagte ausdrücklich »später« –, dann könne er mir den Hauptmann von Köpenick zur Stelle schaffen. Na, ich hab mir gedacht, versprechen kann man alles, zunächst den Mann mal zum Reden bringen.

INSPEKTOR *unterbricht ihn* Das hätten Sie nicht tun dürfen! Einfach verhaften! Wenn er was Zweckdienliches weiß, dann is es ja seine Pflicht, es anzugeben! Dafür hat er nichts zu verlangen.

PASSKOMMISSAR Ja, und dann kriegense Ihr Lebtag nichts aus ihm heraus. Das kennt man doch!

KOMMISSAR Das ist überhaupt unser Ressort, was hat 'n das mit Paßgeschichten zu tun!

PASSKOMMISSAR Bitte, ich hab mich nicht in Ihr Ressort gedrängt, Sie hätten ihn ja längst verhaften können, der Mann läuft seit vierzehn Tagen frei in Berlin herum!

INSPEKTOR Zur Sache! Zur Sache!

PASSKOMMISSAR Na ja, ich hab ihm halt 'n Paß versprochen, ich dachte, wenn ihm keiner zusteht, dann war das eben ungültig. Da sagt er: »So, den Paß werd ick denn später erheben, nu nehmse mir mal fest, ick bin et selber.« Hat er wörtlich gesagt.

INSPEKTOR Blödsinn, Interessantmacherei. Der will 'n paar Tage unter Dach, bei dem kalten Wetter.

PASSKOMMISSAR Dacht ich auch. Sie wollen der Hauptmann von Köpenick sein? sag ich zu ihm. Und wo is denn die berühmte Uniform? – Die liegt im Schlesischen Bahnhof, Handjepäckaufbewahrung, sagt er und gibt mir 'n Schein mit der Nummer. In ne große Pappschachtel wär se. Na, ich hab mal gleich hingeschickt. *Setzt sich, lächelt ironisch* Nun, was halten die Herrn von der Sache?

INSPEKTOR *zu Voigt, der unbeachtet zwischen den Schutzleuten am Eingang steht, streng und barsch* Können Sie beweisen, daß Sie der Hauptmann von Köpenick sind?

VOIGT Nee, det kann ick nich. Det mißten ja Sie kennen. Ick bin ja keen jelernter Kriminal.

KOMMISSAR Haltense 'n Schnabel!

PASSKOMMISSAR *lacht.*

INSPEKTOR Frechheit so was. Der reine Bluff. Sie werden ja sehn, was da am Schlesischen Bahnhof – *Das Telephon schrillt. Er nimmt den Hörer ab* Hier Zimmer 1B. Was?! Das ist ja –

sofort, sofort herbringen, per Auto!! *Legt den Hörer hin* Sie haben die Uniform – –!

ALLE DREI *sehen sich an, schweigen.*

PASSKOMMISSAR Na, das is wohl immer noch kein Beweis?

KOMMISSAR Also wir müssen ihn sofort –

INSPEKTOR Psst! Ich übernehme selbst das Verhör. *Zum Paßkommissar* Ich danke Ihnen, Herr Kollege. Würden Sie die Güte haben, den Chef zu benachrichtigen?

PASSKOMMISSAR Gerne, ich werd mal raufgehn und werd ihn schonend vorbereiten. *Geht.*

KOMMISSAR Aber tunse ja nich so, als ob das Ihr Verdienst wäre, is doch der reine Zufall.

PASSKOMMISSAR Selbstverständlich, Herr Kollege. Ich gratuliere Ihnen zu diesem ungewöhnlichen Zufall. *Ab.*

INSPEKTOR *ist inzwischen auf Voigt zugegangen, hat den Polizisten ein Zeichen zum Verschwinden gegeben* Nun, mein lieber Freund, kommense mal 'n bißchen näher, setzense sich mal, sprechense sich mal in Ruhe aus, Sie haben uns doch gewiß recht viel zu erzählen – rauchen Sie?

VOIGT *erstaunt* Nee, danke.

INSPEKTOR *ruft einem der Polizisten nach* Holense mal rasch ne halbe Flasche Portwein aus der ›Letzten Instanz‹. Lassense's für mich aufschreiben. *Schaut rasch in das Protokoll des Paßkommissars* Wilhelm Voigt. – Also Ihre Selbststellung, Herr Voigt, macht Ihnen alle Ehre, das will ich zunächst mal feststellen. Das Gewissen und die Reue haben Sie zu diesem Schritt getrieben, nicht?

VOIGT Det nu grade nich. Et is nur wegen 'm Paß. In Köpenick war ja keener. Und einmal muß ick zu kommen, det muß ick.

INSPEKTOR Und Sie glaubten wirklich, daß man Ihnen hier einen Paß gibt und Sie dann laufen läßt?

VOIGT Nee, nee, ick weiß schon Bescheid, mir werdense doch nich laufen lassen. Aber denn, wenn ick wieder raus bin, denn könnense mir den Paß nich mehr verweigern. Versprochen is er. Det is nu ne öffentliche Anjelegenheit.

INSPEKTOR *jovial* Da schau her. Sie sind ja ein ganz Schlauer. *Leise zum Kommissar* Mitstenographieren! *Zu Voigt* Also das müssen Sie mir nun mal erklären – mit dem Paß.

VOIGT Da is gar nichts zu erklären bei. Ick brauche 'n endlich, damit ick mal zun richtiges Leben komme. Ick hab det satt, wissense.

INSPEKTOR Wie alt sind Sie denn?

VOIGT Ick jeh ins Siebenundfuffzichste.

INSPEKTOR Aha! Und da sehen Sie einer – doch wohl unvermeidlichen Freiheitsstrafe so ruhig ins Auge?

VOIGT Warum nich? Det jeht vorüber, det bin ick jewohnt. Aber det rumlaufen ohne Paß, und det Versteckspielen, und de janze Schinderei, det kann ick nu nich mehr mitmachen. Det kann ick nich mehr.

INSPEKTOR Aber – Sie hatten doch das Geld, über viertausend Mark, das is doch ne ganze Menge.

VOIGT *greift in die Brusttasche, holt ein Paket heraus* Da isses. Allerdings nich mehr janz vollzählig. Ick mußte ja leben, und ick hab auch 'n paar neue Stiefel jebraucht. Im janzen hab ick dreiundachtzig Mark entnommen. De Abrechnung liegt bei.

INSPEKTOR Na, sagense mal, da hättense doch weit mit reisen können!

VOIGT Und wenn's dann alle is, da steh'ck wieder da. Über de Grenze wär ick mit Jeld schon jekommen, aber denn kann ick nich mehr zurück und muß mir in fremde Erde begraben lassen. Nee, nee. 'n Paß will ick, und denn will ick meine Ruhe. *Der Polizist mit der halben Flasche Portwein.*

POLIZIST Soll ich gleich aufkorken, Herr Inspektor?

INSPEKTOR Natürlich, der Voigt muß sich mal 'n bißken stärken auf den Schreck.

VOIGT Ick bin jarnich verschrocken. Ick hatte mir dat jenau so vorjestellt. Nur, daß die Herrn so freundlich mit mir sind, det bin ick nich jewohnt.

INSPEKTOR *biedermännisch* Aber mein guter Voigt, das is doch selbstverständlich, hier wird doch keiner gebissen!

VOIGT Na na.

INSPEKTOR So, trinkense mal.

VOIGT Ich trinke eigentlich nichts uffn nichternen Magen.

INSPEKTOR Wachtmeister! Ne Schinkenstulle. Trinkense nur
mal, das kann Ihnen nichts schaden.

VOIGT Na, ick will ja kein Spielverderber sein. Prost, Herr Inspektor! *Trinkt.*

INSPEKTOR So is recht. – Habense sich denn gar nicht mal 'n
bißchen was geleistet von dem Geld?

VOIGT Doch, ick hab in 'n janz ordentlichen Gasthof jewohnt.
Nur de erste Nacht hab ick bei Aschingern verpennt. Da war
ick todmüde, da bin ick einfach umjefallen.

INSPEKTOR Nee, ich meine, mal 'n tüchtigen Rausch, oder son
richtigen großstädtischen Betrieb oder so was?

VOIGT Da mach ick mir wenig draus. *Etwas vertraulicher* Ick
mechte meine Ruhe haben, und meine Freiheit, verstehnse?
Det schmeckt aber gut. *Trinkt.*

DER KRIMINALDIREKTOR *kommt eilig herein. Dicker älterer Herr*
Wo isser? Ach – *Er starrt Voigt an.*

INSPEKTOR Jawohl, Herr Direktor, das is er! *Zwinkert ihm zu*
Ein reizender Mensch, er sagt uns alles ganz offen. Ich habe
ihm mal ne kleine Stärkung kommen lassen.

DIREKTOR Das is recht! *Zu Voigt, der höflich aufgestanden ist* Aber
bleibense doch sitzen, mein Lieber! Setzense sich doch wieder!

VOIGT Jewiß, wenn Sie auch 'n bißchen Platz nehmen wollen –

DIREKTOR *lachend* Aber natürlich, wir wollen doch mal zusammen plaudern, nich? Trinkense doch mal!

VOIGT Ja, danke, det is ausjezeichnet. Ick trinke sonst nie, wissense, ick bin det eigentlich nich jewohnt –

DIREKTOR Na, wenn's Ihnen mal schmeckt, das is die Hauptsache.

VOIGT Prost, Herr Direktor! Det laß ick mir jefallen. *Er lacht
aber nicht, bleibt immer still und gleichmäßig.*

INSPEKTOR *leise* Wir haben alles mitgeschrieben. Es handelt sich
offenbar um einen Geisteskranken. *Laut zu Voigt* Na, nu erzählense mal dem Herrn Direktor, mein lieber Voigt, wie se
überhaupt zu der ganzen Sache jekommen sind!

VOIGT Det is doch janz einfach. Da braucht ick nich erst zu kommen, det kam jewissermaßen zu mir.

DIREKTOR Aber wie kamense denn auf die Idee, als falscher Hauptmann son Ding zu drehn?

VOIGT Na, det weiß doch 'n Kind, daß man bei uns mitn Militär allens machen kann. Det hab ick immer jewußt.

DIREKTOR Und ausgerechnet in Köpenick! Wie kommense denn grade nach Köpenick?

VOIGT Det war das nächste uff der Bahnstrecke. Aber det war 'n Fehler von mir. Da jibt et nämlich keine Paßabteilung, in Köpenick. Wenn ick det bedacht hätte, denn wär ick nach Teltow, ins Kreisamt.

DIREKTOR Da haben die Teltower ja noch mal Dusel gehabt.

VOIGT Denn hätt ick nämlich 'n Paß, denn könntense mir nich hier bewirtschaften. *Trinkt.*

DIREKTOR *sieht Voigt an* Das muß ein schöner Trottel sein, der Herr Bürgermeister Obermüller!

VOIGT Sagense det nich, Herr Direktor! Der Mann is gar nich so uneben. Det wär Ihnen jenau so ergangen – det liecht in der Natur der Sache.

DIREKTOR Na ja, schon gut. Aber sagense mal, woher hatten Sie denn das alles, das ganze militärische Kommando, das hat doch alles bis ins kleinste geklappt!

VOIGT Wissense, Herr Direktor, det is weiter nischt, sone Uniform, die macht det meiste janz von alleene. Und in Zuchthaus Sonnenburg, da ham wa in den Freizeiten immer de Felddienstordnung zu lesen jekriegt, und det Exerzierreglement. Da hatt ick mir immer sehr für interessiert.

DIREKTOR Und da hatten Sie gar nichts weiter vorbereitet? Da sind Sie einfach hingegangen und haben auf der Straße die erste beste Wache angehalten und sind damit nach Köpenick gefahren?

VOIGT Ick hab mir de Uniform angezogen – und denn hab ick mir 'n Befehl jegeben – und denn bin ick losjezogen und hab 'n ausjeführt.

DIREKTOR Glück habense gehabt, das muß man sagen.

VOIGT Det jehört zur Kriegsführung, Herr Direktor. Glück is de erste Fordernis der Feldherrngabe, hat Napoljon jesagt.

DIREKTOR An Ihnen is ja nu wirklich 'n kleener Napoleon verlorengegangen. *Schenkt ihm ein* Trinkense nur!

VOIGT Danke, danke, ick spür's schon 'n bißken. Aber det schmeckt extragewöhnlich gut. *Riecht daran* Det könnt ick mir direkt anjewöhnen.

DIREKTOR *lachend* Wenn Herr Hauptmann nur mit uns zufrieden sind.

VOIGT Det bin ick. So gut is mir noch nich jegangen uffn Amt. Sonst hamse mir immer nur einjesperrt oder rausjeschmissen.

EIN POLIZIST *in der Tür* Die Uniform ist zur Stelle.

DIREKTOR Reinbringen! Die müssen wir sehn. *Während die Pappschachtel gebracht und ausgepackt wird* Wo hattense die eigentlich her?

VOIGT Aus de Grenadierstraße, vom Kleiderjuden. Die hab ick jekauft, det is mein rechtmäßiges Eigentum!

KOMMISSAR So, da hat sich aber keiner gemeldet, trotz unserer Anschläge. Die hamse wohl umsonst jekauft, was? *Macht die Bewegung des Klauens.*

VOIGT *mit ruhiger Würde* Mein lieber Herr, ick hab in mein Leben noch keinen Mitmenschen wat wechjenommen. Ick habe immer nur mit der Behörde jekämpft.

DIREKTOR *hat die Uniform herausgenommen, hält den Rock hoch* Tatsächlich! 'n echter Garderock, von ner Potsdamer Firma. 'n tüchtiges Alter hat se aufn Puckel.

VOIGT *hebt das Glas* Aber für ihre Jahre isse noch janz tauglich, was? *Trinkt der Uniform zu.*

DIREKTOR Hörnse mal, ziehnse se mal an, wollense? Nur 'n Rock, das genügt! Den Rock und die Mütze – das möcht ich doch mal sehn!

VOIGT Gerne, wenn's Ihnen Vajnügen macht. Ich kannse nochmal anziehn. Jebense man her. *Zieht seinen Rock aus.*

DIREKTOR *leise zum Polizisten* 'n Photograph, bitte. *Laut zu Voigt* Darf ich Ihnen helfen, Herr Hauptmann!

VOIGT Nee, danke, det jeht schon! *Er schlüpft in den Rock, knöpft zu, setzt die Mütze auf.*

DIREKTOR *kann sich das Lachen kaum verbeißen* Det is ja großartig. *Zu den anderen* Das fährt einen in de Knochen, da steht man von selber stramm, was?

VOIGT *legt lässig die Hand an den Mützenschirm* Danke. Lassense rühren.

DIREKTOR, INSPEKTOR UND KOMMISSAR *zusammenstehend, lachen einfach los. Auch die Polizisten grinsen.*

VOIGT *ganz ernst* Verzeihung, Herr Direktor, ick hätt ne Bitte.

DIREKTOR Natürlich, was denn, sagense's nur!

VOIGT Kann ick vielleicht mal 'n Spiegel haben? Ick habe mir nämlich noch nie in Uniform jesehen.

DIREKTOR Noch nie – is ja fabelhaft! Habense gar keene Probe gemacht vorher?

VOIGT Nee, da war keen Spiegel drin, wo ick mir umjezogen habe.

DIREKTOR Rasch, 'n Spiegel, den großen aus der Garderobe. Na, Sie werden staunen!

VOIGT Da muß ick mir nu man stärken vorher. Da drauf muß ick mir vorbereiten. *Nimmt sein Portweinglas, füllt es, trinkt.*

DIREKTOR *wischt sich die Augen* Meine Herren, das ist die schönste Stunde meiner dreißigjährigen Dienstzeit.

POLIZIST *mit dem Spiegel.*

DIREKTOR Da stellense'n hin! So, Herr Hauptmann, nun schaunse sich mal an, da kriegense Respekt vor sich!

VOIGT *tritt vor den Spiegel, das Portweinglas in der Hand. Er steht mit dem Rücken zum Publikum. Direktor tritt mit den anderen beiseite, beobachtet ihn. Voigt steht zuerst ganz ruhig – dann beginnen seine Schultern zu zucken, ohne daß man einen Laut hört – dann beginnt seine Gestalt zu schüttern und zu wanken, daß der Portwein aus dem Glas schwappt – dann dreht er sich langsam um – lacht – lacht immer mehr, lacht übers ganze Gesicht, mit dem ganzen Körper, aus dem ganzen Wesen – lacht, bis ihm der Atem wegbleibt und die Tränen herunterlaufen. Aus diesem Lachen formt sich ein Wort – erst leise,*

unverständlich fast – dann immer stärker, deutlicher, endgültiger –
schließlich in neuem, großem, befreitem und mächtigem Gelächter
alles zusammenfassend Unmöglich!!
Dunkel.

»*Kommt mit*«, *sagte der Hahn,*
»*etwas Besseres als den Tod werden wir überall finden!*«
(BRÜDER GRIMM, DIE BREMER STADTMUSIKANTEN)